S0-BYJ-709

定位经典丛书
对美国营销影响最大的观念

定位 有史以来对美国营销影响最大的观念

POSITIONING
THE BATTLE FOR YOUR MIND

[美] 艾·里斯（Al Ries）
杰克·特劳特（Jack Trout） 著

谢伟山 苑爱冬◎译

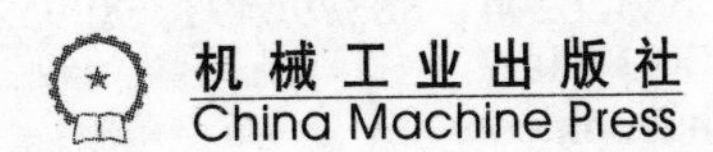

机械工业出版社
China Machine Press

Al Ries and Jack Trout. Positioning: The Battle for Your Mind, 20th Anniversary Edition.
ISBN 0-07-135916-8

本书版权登记号：图字：01-2010-5163

图书在版编目（CIP）数据

定位：有史以来对美国营销影响最大的观念／（美）里斯（Ries, A.），（美）特劳特（Trout, J.）著；谢伟山，苑爱冬译. —北京：机械工业出版社，2011.1（2017.6重印）
（定位经典丛书）
书名原文：Positioning: The Battle for Your Mind

ISBN 978-7-111-32640-3

Ⅰ. 定…　Ⅱ. ①里…　②特…　③谢…　④苑…　Ⅲ. 企业管理-市场营销学　Ⅳ. F274

中国版本图书馆CIP数据核字（2010）第230828号

机械工业出版社（北京市西城区百万庄大街22号　邮政编码　100037）
责任编辑：杨熙越　　　　版式设计：刘永青
北京诚信伟业印刷有限公司印刷
2017年6月第1版第35次印刷
170mm × 242mm · 21印张
标准书号：ISBN 978-7-111-32640-3
定价：42.00元

凡购本书，如有缺页、倒页、脱页，由本社发行部调换
客服热线：（010）68995261；88361066
购书热线：（010）68326294；88379649；68995259
投稿热线：（010）88379007
读者信箱：hzjg@hzbook.com

目录

POSITIONING

（一）

孙子云：先胜而后求战。

商界如战场，而这就是战略的角色。事实上，无论承认与否，今天很多商业界的领先者都忽视战略，而重视战术。对于企业而言，这是极其危险的错误。你要在开战之前认真思考和确定战略，才能赢得战役的胜利。

关于这个课题，我们的书会有所帮助。但是首先要做好准备，接受战略思维方式上的颠覆性改变，因为真正有效的战略常常并不合逻辑。

以战场为例。很多企业经理人认为，胜负见于市场，但事实并非如此。胜负在于潜在顾客的心智，这是定位理论中最基本的概念。

你如何赢得心智？在过去的40多年里，这一直是我们唯一的课题。最初我们提出了定位的方法，通过一个定位概念将品牌植入心智；之后我们提出了商战，借助战争法则来思考战略；后来我们发现，除非通过聚焦，对企业和品牌的各个部分进行取舍并集中资源，否则定位往往会沦为一个传播概念。今天我们发现，开创并主导一个品类，令你的品牌成为潜在顾客心智中某一品类的代表，是赢得心智之战的关键。

但是绝大多数公司并没有这么做，以“聚焦”

为例，大部分公司都不愿意聚焦，而是想要吸引每个消费者，最终它们选择延伸产品线。每个公司都想要成长，因此逻辑思维就会建议一个品牌应该扩张到其他品类中，但这并非定位思维。它可能不合逻辑，但我们仍然建议你的品牌保持狭窄的聚焦；如果有其他的机会出现，那么推出第二个甚至第三个品牌。

几乎定位理论的每个方面和大多数公司的做法都相反，但事实上很多公司都违背了定位的原则，而恰恰是这些原则才为你在市场上创造机会。模仿竞争对手并不能让你获得胜利。你只有大胆去做不同的事才能取胜。

当然，观念的改变并非一日之功。在美国，定位理论经历了数十年的时间才被企业家广泛接受。最近几年里，我们成立了里斯伙伴中国公司，向中国企业家传播定位理论。我和女儿劳拉几乎每年都应邀到中国做定位理论新成果的演讲，我们还在中国的营销和管理杂志上开设了长期的专栏，解答企业家们的疑问……这些努力正在发生作用，由此我相信，假以时日，中国企业一定可以创建出真正意义的全球主导品牌。

艾·里斯

（二）

中国正处在一个至关重要的十字路口上。制造廉价产品已使中国有了很大的发展，但上升的劳动力成本、环境问题、收入不平等以及对创新的需求都意味着重要的不是制造更廉价的产品，而是更好地进行产品营销。只有这样，中国才能赚更多的钱，才能在员工收入、环境保护和其他方面进行更大的投入。这意味着中国需要更好地掌握如何在顾客和潜在顾客的心智中建立品牌和认知，如何应对国内及国际上无处不在的竞争。

这也正是我的许多书能够发挥作用的地方。它们都是关于如何通过在众多竞争者中实现差异化来定位自己的品牌；它们都是关于如何保持简单、如何运用常识以及如何寻求显而易见又强有力的概念。总的来讲，无论你想要销售什么，它们都会告诉你如何成为一个更好的营销者。

我的中国合伙人邓德隆先生正将其中的很多理论在中国加以运用，他甚至为企业家开设了“定位”培训课程。但是，中国如果要建立自己的品牌，正如你们在日本、韩国和世界其他地方所看到的那些品牌，你们依然有很长的路要走。

但有一件事很明了：继续“制造更廉价的产品”只会死路一条，因为其他国家会想办法把价格压得更低。

杰克·特劳特

序 一

定位：第三次生产力革命

POSITIONING

马克思的伟大贡献在于，他深刻地指出了，以生产工具为标志的生产力的发展是社会存在的根本柱石，也是历史的第一推动力——大哲学家李泽厚如是总结马克思的唯物史观。

第一次生产力革命：泰勒“科学管理”

从唯物史观看，我们终于明白，赢得第二次世界大战（以下简称“二战”）胜利的关键历史人物并不是丘吉尔、罗斯福与斯大林，而是弗雷德里克·泰勒。泰勒的《科学管理原理》掀起了现代史上的第一次生产力革命，大幅提升了体力工作者的生产力。“二战”期间，美国正是全面运用了泰勒“更聪明地工作”方法，使得美国体力工作者的生产力远超其他国家，美国一国产出的战争物资比所有参战国的总和还要多——这才是“二战”胜利的坚实基础。

欧洲和日本也正是从“二战”的经验与教训中，认识到泰勒工作方法的极端重要性。两者分别通过“马歇尔计划”和爱德华·戴明，引入了泰勒的作业方法，这才有了后来欧洲的复兴与日本的重新崛起。包括20世纪80年代崛起的“亚洲四小龙”以及今日的“中国经济奇迹”，很大程度上都受益于这一次生产力革命，本质上都是将体力工作者（农民）的生产力大幅提升（成为农民工）的结果。2009年12月的美国《时代》周刊将中国农民工这个群体形象作为封面人物，其标志意义正在于此。近几年中国社科院的研究报告也揭示，农民工对中国GDP的贡献率一直高达60%。

泰勒的贡献不止于此。根据唯物史观，当社会存在的根本柱石——生产力得到发展后，整个社会的“上层建筑”也将得到相应的改观。在泰勒之前，由于工业革命的结果，造成了社会上资产阶级与无产阶级这两大阶级的对峙。生产力的发展，使得体力工作者收入大幅增加，其工作强度和时间大幅下降，社会地位上升，由无产阶级变成了中产阶级，并且占据社会的主导地位。前者的“哑铃型社会”充满了斗争与仇恨，后者的“橄榄型社会”则相对稳定与和谐——体力工作者生产力的提升，彻底改变了社会的阶级结构，缔造了我们所说的发达国家。

体力工作者工作强度降低后，人类的平均寿命因此相应延长。加上工作时间的大幅缩短，这“多出来”的许多时间，一部分转向了休闲，更多地转向了教育。教育时间的延长，催生了一场更大的“上层建筑”的革命——资本主义的终结与知识社会的出现。1959年美国的人口统计显示，靠知识（而非体力）“谋生”的人口超过体力劳动者，成为人口的主力军。这就是我们所说的知识社会。同样地，知识社会的趋势从美国为代表的发达国家开始，向全世界展开。目前，体力工作者在美国恐怕只占10%左右了，剩下的都是知识工作者。德鲁克预计，这个社会转型要到2030年才能彻底完成。

第二次生产力革命：德鲁克“管理”

知识社会的来临，催生了第二次生产力革命。彼得·德鲁克开创的管理学（核心著作是《管理的实践》及《卓有成效的管理者》㊀），大幅提升了组织的生产力，让社会容纳如此巨大的知识群体，并让他们创造绩效成为可能。

在彼得·德鲁克开创管理学之前，全世界能吸纳最多知识工作者的国家是中国。中国自汉代以来的文官制度，在隋唐经过科举制定型后，为整个社会打通了从最底层通向上层的通道。这不但为社会注入了源源不断的活力，也为人类创造出了光辉灿烂的文化，成为中国领先于世界的主要原因之一。但无论怎么说，中国传统社会能被吸纳的知识分子，毕竟只占人口的很少一部分。至清朝时，中国大概每年还能吸纳两万名左右，而美国以同等的人口每年毕业的大学生就高达百万以上，再加上许多在职的人通过培训与进修，从体力工作者转化为知识工作者的人数就更为庞大了。特别是“二战”后实施的《退伍军人权利法案》，几年间将“二战”后退伍的军人几乎全部转化成了知识工作者。如果没有管理，整个社会将因无法消化这么巨大的知识群体而陷入危机。

通过管理提升组织的生产力，我们不但消化了大量的知识群体，甚至创造了大量的新增知识工作的需求。与体力工作者的生产力是以个体为单位来研究并予以提升不同，知识工作者的知识本身并不能实现产出，他必须借助组织这个“生产单位”（或者

㊀ 该两本书中文版已由机械工业出版社出版。

说具有特定功能的社会器官）来利用他的知识，才可能产出成果。正是德鲁克的管理学，让组织这个生产单位创造出应有的成果。

对管理学的最大成就，我们可以将20世纪分为前后两个阶段来进行审视。20世纪前半叶是人类有史以来最为血腥、最为残暴、最惨无人道的半个世纪，在这短短的时间段内居然发生了两次世界大战，最为专制独裁及大规模高效率的种族灭绝也发生在这一时期。反观“二战”后的20世纪下半叶，甚至直到21世纪的2008年金融危机为止，人类享受了长达60多年的经济繁荣。虽然地区摩擦未断，但世界范围内的大战毕竟得以幸免（原本，“冷战”有可能引发第三次世界大战）。究其背后原因，是通过恰当的管理，构成社会并承担了具体功能的各个组织，无论企业、政府、医院、学校，还是其他非营利机构，都能高效地发挥应有的功能，同时让知识工作者获得成就和满足感，从而确保了社会的和谐与稳定。20世纪上半叶付出的代价，本质上而言是人类从农业社会转型为工业社会缺乏恰当的组织管理所引发的社会功能紊乱。20世纪的下半叶，人类从工业社会转型为知识社会，虽然其剧变程度更烈，却因为有了管理，平稳地被所有的历史学家忽略了。如果没有管理学，历史的经验告诉我们，20世纪的下半叶，很有可能会像上半叶一样令我们这些身处其中的人不寒而栗。不同于之前的两次大战，现在我们已具备了足以多次毁灭整个人类的能力。

生产力的发展，社会基石的改变，照例引发了“上层建筑”的变迁。首先是所有制方面，资本家已经无足轻重了，在美国，社会的主要财富通过养老基金的方式被员工所持有。更重要的是，社会的关键资源不再是资本，而是知识。社会的代表性人物也不再是资本家，而是知识精英或各类专家。整个社会开始转型为“后资本主义社会”。社会不再由政府或国家的单一组织治理或统治，而是走向由知识组织实现自治的多元化、多权力中心化。政府只是众多大型组织之一，而且政府中越来越多的社会功能还在不断外包给各个独立自治的社会组织。如此众多的社会组织，几乎为每一个人打开了“从底层向上层”的通道，意味着每一个人都可以通过获得知识而走向成功。当然，这同时也意味着竞争将空前激烈。

正如泰勒的成就催生了一个知识社会，德鲁克的成就则催生了一个竞争社会。对于任何一个社会任务或需求，你都可以看到一大群管理良好的组织在全球展开争夺。不同需求之间甚至还可以互相替代，一个产业的革命往往来自另一个产业。这又是一次史无前例的社会剧变！毛泽东有《读史》词：“人世难逢开口笑，上疆场彼此弯弓月，流遍了，郊原血。”人类自走出动物界以来，上百万年中一直处于“稀缺经济”的生存状态中，这也是“上疆场彼此弯弓月”以及“阶级斗争”与“计划经济”的根本由来。然而，在短短的几十年里，由于管理的巨大成就，人类居然可以像儿童置身于糖果店中一般置身于“过剩经济”的“幸福”状态中。

第三次生产力革命：特劳特“定位”

选择的暴力

全球的经济学家们使尽浑身解数，建议政府如何刺激人们消费，而消费者在眼花缭乱的刺激下更显得无所适从。特劳特在《什么是战略》⊖开篇中描述说："最近几十年里，商业发生了巨变，几乎每个类别可选择的产品数量都有了出人意料的增长。比如，在20世纪50年代的美国，买小汽车就是在通用、福特、克莱斯勒等美国汽车商生产的型号中挑选。今天，你要在通用、福特、克莱斯勒、丰田、本田、大众、日产、菲亚特、三菱、雷诺、铃木、宝马、奔驰、现代、大宇、马自达、五十铃、起亚、沃尔沃等约300种车型中挑选。"汽车业的情形，在其他各行各业中都在发生。如何在竞争中胜出并赢得顾客，就成了组织生存的前提。

这种"选择的暴力"，只是展示了竞争残酷性的一个方面。另一方面，知识社会带来的信息爆炸，使得本来极其有限的顾客心智更加拥挤。根据哈佛大学心理学博士米勒的研究，顾客心智中最多也只能为每个品类留下七个品牌空间。而特劳特先生进一步发现，随着竞争的加剧，最终连七个品牌也容纳不下，只能给两个品牌留下心智空间，这就是定位理论中著名的"二元法则"（杰克·韦尔奇1981年上任通用电气后，就是运用了这一法则，将不属于"数一数二"的业务关停并转，而不管其盈利有多么丰厚。此举使百年通用电气因获得了顾客心智强大的选择力量而再续传奇，也为韦尔奇赢得了"世界第一总裁"的声誉）。任何在顾客心智中没有位置的品牌，终将从现实中消失，而品牌的消失则直接意味着品牌背后组织的消失。这才

⊖ 本书中文版已由机械工业出版社出版。

是全球市场中不断掀起购并浪潮的根本力量。尽管迄今为止购并的成功率并不高，带给被购并对象的创伤很深，给当地社区的冲击也很大，但受心智中品牌数量有限的影响，全球性的并购浪潮还将愈发汹涌。特劳特先生预见说，与未来几十年相比，我们今天所处的竞争环境仍像茶话会一般轻松。

选择太多与心智有限，给组织社会带来了空前的紧张与危机，因为组织存在的目的，不在于组织本身，而在于组织之外的社会成果。当组织的成果因未纳入顾客选择从而变得没有意义甚至消失时，组织也就失去了存在的理由与动力。这远不只是黑格尔提出的因“历史终结”带来的精神世界的无意义，而是如开篇所引马克思的唯物史观所揭示的那样，关乎社会存在的根本柱石发生了动摇。德鲁克晚年对此深表忧虑：

“我们已经进入组织的社会，所有组织的共通点（这或许多多少少是第一次有共通处）就是组织的成果只限于外部……可是当你去看现今所有关于管理学的著作和思想（包括我所写的一切）就会发现，其实我们只看得到内部，不管各位举出哪一本早期的作品，例如我写的《管理的实践》，或是哈佛商学院教授迈克尔·波特讨论战略的著作，都是一样。这些著作看起来是从外部观察，但实际上讨论的都是组织内部的事情。**因此，如果你想要了解管理是怎么回事，管理在做些什么，就必须从外在的成果入手……何为成果？这听起来好像是非常简单的主题，只是目前我已经对它研究了好一阵子，问题却愈来愈糟糕，愈来愈复杂。**所以我希望各位，在我语意不清时能够原谅我，因为我知道有些领域我说不出所以然，我也还没有研究透。”

事实的确如此，走进任何一家超市，你都可以看见货架上躺着的80%以上的商品，因为对成果的定位不当而成为没有获得心智力量的、平庸的、同质化的品牌。由此反推，这些平庸甚至是奄奄一息的品牌背后的组织及在这些组织中工作的人们，他们的生存状态是多么地令人担忧——这必将成为下一个社会急剧动荡的根源。

新生产工具：定位

在此背景下，为组织准确定义成果的新生产工具——定位（positioning），在1969年被杰克·特劳特发明出来，掀起了第三次生产力革命。在谈到为何选择“定位”一词来命名这一新工具时，特劳特曾说：“《韦氏词典》对战略的定义是针对敌人（竞争对手）确立最具优势的位置（position）。这正好是定位要做的工作。”在顾客心智中针对竞争对手确定最具优势的位置，从而使品牌胜出竞争赢得优先选择，这就是企业需全力以赴抵达的成果，也是企业赖以存在的唯一理由。正如德鲁克在评价泰勒“四步工作法”时说：“泰勒的方法听起来没什么了不起——有效的方法常常如此。其实这套方法花了泰勒整整20年的时间去试验，才整理发展出来。”这段话用来描述特劳特与定位同样适用。

定位四步法

为验证与发展定位，特劳特与他的合作伙伴艾·里斯也花了20多年，在具体运用上刚好也是四步工作法。

第一步，分析整个外部环境，确定“我们的竞争对手是谁，竞争对手的价值是什么”（这与德鲁克在回答管理第一问“我们的业务是什么，应该是什么”时问的“我们的顾客是谁，顾客的价值是什么”相反，因过多的选择、有限的心智，决定了经营方式已从顾客导向转向了竞争导向）。

第二步，避开竞争对手在顾客心智中的强势，或是利用其强势中蕴含的弱点，确立品牌的优势位置——定位。

第三步，为这一定位寻求一个可靠的证明——信任状。

第四步，将这一定位整合进企业内部运营的方方面面，特别是传播上要有足够多的资源，以将这一定位植入顾客的心智（详见定位经典丛书之《与众不同》[一]）。

品牌成主体

第一次生产力革命，是通过泰勒的《科学管理原理》[二]，大幅提升了体力工作者的生产力。第二次生产力革命，是通过德鲁克开创的管理学，大幅提升了组织的生产力。第三次生产力革命，是通过特劳特发现的“定位”（核心著作是《定位》和《商战》[三]，读者应该先从这两本著作开始学习定位），大幅提升了品牌的生产力。

第一次生产力革命自1880年开始，至“二战”后达至最高潮，前后共历70年。第二次生产力革命，从1943年德鲁克着手第一部研究组织的著作《公司的概念》[四]算起，也几近70年。从即便是通用汽车的高管（当时最成功的管理者）也不知自己从事的工作就是管理，到如今管理学院遍布全球，管理革命已大体完成。第三次生产力革命，至今已酝酿了40年。从定位经

[一]、[二]、[三]、[四] 此书中文版已由机械工业出版社出版。

典丛书中，读者可以发现关于定位的系统知识与实践检验都已相当完备，定位也不仅仅是“最具革命性的营销观念”（菲利普·科特勒语），而且是战略的核心，“战略就是创建一个有利的定位”（迈克尔·波特语）。如果历史可信，在未来的30年里，人类将迎来一个品牌的时代、品牌的社会。无论个人还是组织都要学会运用定位这一新工具“由外而内”地为自己建立品牌（个人如何创建品牌详见定位经典丛书之《人生定位》），从而在竞争中赢得优先选择。并非偶然，德鲁克去世前不久有几乎完全相同的看法：

“你会讶异于定义成果有多么困难……今日各商学院最大的缺点之一，就是以为成果很好辨别；另一个缺点是，迄今我们仅是由内而外去看管理，尚未开始从外而内去看待它。我有预感，这将是我们未来三四十年的工作。”

夺取“心智资源”

社会的价值观、财富观，也必将因此而大幅改变。组织最有价值的资源固然不再是土地与资本资源，甚至也不是人力资源、知识资源了，这些资源没有消失，但其决定性的地位都要让位于品牌所代表的心智资源。没有心智资源的牵引，其他所有资源都只是成本。联想最大的资源并非柳传志先生曾认为的“杨元庆们”，而是联想这个品牌本身，因为它在顾客心智中占据了电脑的定位，联想成了顾客心智中电脑的代名词。百度最大的资源也不是“李彦宏们”，而是百度这个品牌本身，因为它在顾客心智中占据了“搜索”的定位，百度就是搜索的代名词，百度因此拥有搜索这一心智资源。可口可乐的“杨元庆们”“李彦宏们”是谁，没有多少人知道，但不妨碍可口可乐几十年来都是全球第一饮料品牌。股神巴菲特之所以几十年都持有其股票，是因为可口可乐这个品牌本身的价值，可口可乐就是可乐的代名词，这才是巴菲特最看重的内在价值以及“深深的护城河”。

衡量企业经营决定性绩效的方式也从传统的财务赢利与否，转向为占有定位（心智资源）与否。这也解释了为何互联网企业即使不赢利也能不断获得大笔投资，因为心智资源（定位）本身就是成果。历史上，新生产工具的诞生，同时会导致新生产方式的产生，这种直取定位（心智资源）而不顾赢利的生产方式，是由新的生产工具带来的。这不只发生在互联网高科技产业，实践证明传统行业也完全适用。随着第三次生产力革命的深入，其他产业与非营利组织将全面沿用这一新的生产方式——第三次“更聪明地工作”。

定位激发品牌生产力

不仅是新创企业，即便现有组织的同一个品牌，在其他任何条件不变的情况下，通过定位的调整，生产力的差距也是惊人的。最有名的例子，是IBM通过重新定位为“集成电脑服务商”，从而走出连续巨亏的困境，重获辉煌。西南航空通过定位为“单一舱级”，成为美国最赢利的航空公司，单其一家的市值就超出其他三家资产规模大得多却定位不当的航空公司的总和。宝马通过定位为“驾驶”，从而充分利用了奔驰在顾客心中强势（尊贵）中的弱点（移动不方便），结果从濒临破产的品牌变为风行世界的强势品牌。百事可乐，也是利用可口可乐强势（可乐发明者更“正宗”）中的弱点（祖父辈在喝），界定出自己的新一代“年轻人的可乐”的定位，从破产边缘走出一条光辉大道。云南白药创可贴通过“有药好得更快些”，重新定位强势品牌邦迪的战略性缺点（无药），从而反客为主成为领导品牌。

定位提升运营绩效

当定位明确后，几乎可以立刻识别出企业投入中哪些20%的运营产生了80%的绩效，从而通过删除大量不产生绩效的运营并加强有效的运营而大幅提升生产力。王老吉的实践证明(见定位经典丛书之《2小时品牌素养》之“详解王老吉成功之道”)，无论哪一年针对定位来检索内部运营，总是能发现不少与定位要求不合的运营，同时也存在对定位机会投入不足的运营活动，通过加强后者和删除前者，王老吉在投入并不比竞争者更大的前提下，释放了惊人的生产力，短短七年内，从1亿元突破到了160亿元，而且仍在高速成长之中……

定位客观存在

事实上，已不存在要不要定位的问题，而是要么你是在正确、精准地定位，要么你是在错误地定位，从而根据错误的定位配置企业资源。这一点与管理学刚兴起时，管理者并不知道自己的工作就是管理非常类似。所以，企业常常在不自觉中破坏已有的定位。当一个品牌破坏了已有的定位，或者企业运营没有遵循顾客心智中的定位来配置资源，则不但造成顾客不接受新投入，反而将企业巨大的资产浪费，甚至使企业毁灭。读者可以从定位经典丛书之《大品牌大问题》[⊖]一书中看到诸如AT&T、DEC、通用汽车、米勒啤酒、施乐等案例，它们曾盛极一时，却因违背顾客心智中的定位而由盛转衰，成为惨痛教训。

所有组织都需要定位

定位与管理一样，不仅适用于企业，还适用于政府、医院、学校等各类组织，以及城市和国家这样的超大型组织。一个岛国——格林纳达，通过从“盛产香料的小岛”重新定位为“加勒比海的原貌”，引来了游客无数，从而使该国原本高达30%以上的失业率消失得无影无踪。目前，中国无论是城市还是景区都因定位不当而导致生产力低下，同质化现象非常严重，破坏独特文化价值的事正大面积地发生……

结语：伟大的观念

第三次生产力革命将会对人类社会的“上层建筑”产生何种积极的影响，现在谈论显然为时尚早，也远非本文、本人能力所及。但对于正大踏步迈入现代化、全球化的中国而言，其意义非同一般。李泽厚先生在他的“文明的调停者”一文中写道：

“有学者说，中国要现代化，非要学习基督教不可；也有学者说，要有伊斯兰教的殉教精神。我以为恰恰相反。注重现实生活、历史经验的中国深层文化特色，在缓和、解决全球化过程中的种种困难和问题，在调停执著于一神教义的各宗教、文化的对抗和冲突中，也许能起到某种积极作用。**所以我曾说，与亨廷顿所说相反，中国文明也许能担任基督教文**

⊖ 本书中文版已由机械工业出版社出版。

明和伊斯兰教文明冲突中的调停者。当然，这要到未来中国文化的物质力量有了巨大成长之后。”

生产力的发展，中国物质力量的强大，中国将可能成为人类文明冲突的调停者。李泽厚先生还说：

“中国将可能引发人类的第二次文艺复兴。第一次文艺复兴，是回到古希腊传统，其成果是将人从神的统治下解放出来，充分肯定人的感性存在。第二次文艺复兴将回到以孔子、庄子为核心的中国古典传统，其成果是将人从机器的统治下（物质机器与社会机器）解放出来，使人获得丰足的人性与温暖的人情。这也需要中国的生产力足够发展、经济力量足够强大才可能。”

这正是中国的挑战。大潮奔涌，短短的几十年里，迫使我们要转千弯，翻千浪，去走完西方走了150年才走完的路——怎么办？我们必须同时利用好这三种先进的生产工具，来推动历史前进，为中国继而为人类开创出一个伟大的时代奠基石。

邓德隆

特劳特中国区总经理

2011年7月于上海陆家嘴

序二

定位理论：中国制造向中国品牌成功转型的关键

POSITIONING

历史一再证明，越是革命性的思想，其价值被人们所认识越需要漫长的过程。

自1972年，美国最具影响力的营销杂志《广告时代》刊登“定位时代来临”系列文章，使定位理论正式进入世界营销舞台的中央，距今已40年。自1981年《定位》一书在美国正式出版，距今已经30年。自1991年《定位》首次在中国大陆出版（其时该书名叫《广告攻心战》）距今已经20年。然而，时至今日，中国企业对定位理论仍然知之甚少。

表面上，造成这种现状的原因与“定位理论”的出身有关，对于这样一个“舶来品”，很多人还未读几页就迫不及待地讨论所谓洋理论在中国市场“水土不服”的问题。根本原因在于定位所倡导的观念不仅与中国企业固有思维模式和观念存在巨大的冲突，也与中国企业的标杆——日韩企业的主流思维模式截然相反。由于具有地缘性的优势，以松下、索尼为代表的日韩企业经验一度被认为更适合中国企业。

从营销和战略的角度，我们把美国企业主流的经营哲学称为A（America）模式，把日本企业主流经营哲学称为J（Japan）模式。总体而言，A模式最为显著的特点就是聚焦，狭窄而深入；J模式则宽泛而浅显。简单讨论二者的孰优孰劣也许是仁者见仁的问题，很难有实质的结果，但如果比较这两种模式典型企业的长期赢利能力，则高下立现。

通过长期跟踪日本企业和美国企业的财务状况，我们发现，典型的J模式企业赢利状况都极其糟糕，以下是日本六大电子企业在1999～2009年10年间的营业数据：

日立销售收入84 200亿美元，亏损117亿美元；

松下销售收入7 340亿美元，亏损12亿美元；

索尼销售收入6 960亿美元，税后净利润80亿美元，销售净利润率为1.1%；

东芝销售收入5 630亿美元，税后净利润4亿美元；

富士通销售收入4 450亿美元，亏损19亿美元；

三洋销售收入2 020亿美元，亏损36亿美元。

中国企业普遍的榜样、日本最著名六大电子公司10年间的经营成果居然是亏损108亿美元，即使是利润率最高的索尼，也远低于银行的贷款利率（日本大企业全仰仗日本政府为刺激经济采取对大企业的高额贴息政策，资金成本极低，才得以维持）。与日本六大电子企业的亏损相对应的是，同期美国500强企业平均利润率高达5.4%，优劣一目了然。由此可见，从更宏观的层面看，日本经济长期低迷的根源远非糟糕的货币政策、金融资产泡沫破灭，而是J模式之下实体企业普遍糟糕的赢利水平。

定位理论正由于对美国企业的深远影响，成为“A模式背后的理论”。自诞生以来，定位理论经过四个重要的发展阶段。

20世纪70年代：定位的诞生。“定位”最为重要的贡献是在营销史上指出：营销的竞争是一场关于心智的竞争，营销竞争的终极战场不是工厂也不是市场，而是心智。心智决定市场，也决定营销的成败。

20世纪80年代：营销战。20世纪70年代末期，随着产品的同质化和市场竞争的加剧，艾·里斯和杰克·特劳特发现，企业很难仅通过满足客户需求的方式在营销中获得成功。而里斯早年的从军经历为他们的营销思想带来了启发：从竞争的极端形式——战争中寻找营销战略规律。（实际上，近代战略理论的思想大多源于军事领域，战略一词本身就是军事用语。）1985年，《商战》出版，被誉为营销界的"孙子兵法"，其提出的"防御战"、"进攻战"、"侧翼战"、"游击战"四种战略被全球著名商学院广泛采用。

20世纪90年代：聚焦。20世纪80年代末，来自华尔街年复一年的增长压力，迫使美国的大企业纷纷走上多元化发展的道路，期望以增加产品线和服务的方式来实现销售和利润的增长。结果，IBM、通用汽车、GE等大企业纷纷陷入亏损的泥潭。企业如何获得和保持竞争力？艾·里斯以一个简单的自然现象给出了答案：太阳的能量为激光数十万倍，但由于分散，变成了人类的皮肤也可以享受的温暖阳光，激光则通过聚焦获得力量，轻松切割坚硬的钻石和钢板。企业和品牌要获得竞争力，唯有聚焦。

新世纪：开创新品类。2004年，艾·里斯与劳拉·里斯的著作《品牌的起源》出版。书中指出：自然界为商业界提供了现成模型。品类是商业界的物种、是隐藏在品牌背后的关键力量，消费者"以品类来思考，以品牌来表达"，分化诞生新品类，进化提升新品类的竞争力量。他进一步指出，企业唯一的目的就是开创并主导新品类，苹果公司正是开创并主导新品类取得成功的最佳典范。

经过半个世纪以来不断的发展和完善，定位理论对美国企业以及全球企业产生了深远的影响，成为美国企业的成功之源，乃至美国国家竞争力的重要组成部分。

过去40年的实践同时证明，在不同文化、体制下，以“定位理论”为基础的A模式企业普遍具有良好的长期赢利能力和市场竞争力。

在欧洲，20世纪90年代初，诺基亚公司受“聚焦”思想影响，果断砍掉橡胶、造纸、彩电（当时诺基亚为欧洲第二大彩电品牌）等大部分业务，聚焦于手机品类，仅仅用了短短10年时间，就超越百年企业西门子成为欧洲第一大企业。（遗憾的是，诺基亚并未及时吸收定位理论发展的最新成果，把握分化趋势，在智能手机品类推出新品牌，如今陷入新的困境。）

在日本，三大汽车公司在全球范围内取得的成功，其关键正是在发挥日本企业在产品生产方面优势的同时学习了A模式的经验。以丰田为例，丰田长期聚焦于汽车领域，不断创新品类，并启用独立新品牌，先后创建了日本中级车代表丰田、日本豪华车代表雷克萨斯、年轻人的汽车品牌赛恩，最近又将混合动力汽车品牌普锐斯独立，这些基于新品类的独立品牌推动丰田成为全球最大的汽车企业。

同属电子行业的两家日本企业任天堂和索尼的例子更能说明问题。索尼具有更高的知名度和品牌影响力，但其业务分散，属于典型的J模式企业。任天堂则是典型的A模式企业：依靠聚焦于游戏机领域，开创了家庭游戏机品类。尽管任天堂的营业额只有索尼的十几分之一，但其利润率一直远超过索尼。以金融危机前夕的2007年为例，索尼销售收入704亿美元，利润率1.7%；任天堂销售收入43亿美元，利润率是22%。当年任天堂股票市值首次超过索尼，一度接近索尼市值的2倍，至今仍保持市值上的领先优势。

中国的情况同样如此。

中国家电企业普遍采取J模式发展，最后陷入行业性低迷，以海尔最具代表性。海尔以冰箱起家，在“满足顾客需求”理念的引导下，逐步进入黑电、IT、移动通信等数十个领域。根据海尔公布的营业数据估算，海尔的利润率基本在1%左右，难怪海尔的董事长张瑞敏感叹“海尔的利润像刀片一样薄”。与之相对应的是，家电企业中典型的A模式企业——格力，通过聚焦，在十几年的时间里由一家小企业发展成为中国最大的空调企业，并实现了5%～6%的利润率，与全球A模式企业的平均水平一致，成为中国家电企业中最赚钱的企业。

实际上，在中国市场，各个行业中发展势头良好、赢利能力稳定的企业和品牌几乎毫无例外都属于A模式，如家电企业中的格力、汽车企业中的长城、烟草品牌中的中华、白酒品牌中的茅台和洋河、啤酒中的雪花等。

当前，中国经济正处于极其艰难的转型时期，成败的关键从微观来看，取决于中国企业的经营模式能否实现从产品贸易向品牌经营转变，更进一步看，就是从当前普遍的J模式转向A模式。从这个意义上讲，对于A模式背后的理论——定位理论的学习，是中国企业和企业家们的必修课。

令人欣慰的是，经过20年来著作的传播以及早期实践企业的示范效应，越来越多的中国企业已经投入定位理论的学习和实践之中，并取得了卓越的成果，由此我们相信，假以时日，定位理论也必成为有史以来对中国营销影响最大的观念。如此，中国经济的成功转型，乃至中华民族的复兴都将成为可能。

张云

里斯伙伴中国公司总经理

2012年2月于上海陆家嘴

POSITIONING

引　言

“我们的沟通有问题。”这类陈腔滥调，你听过多少次了？

“沟通有问题”成了所有问题的最普遍、最广泛也是唯一的理由。

无论是商业问题、政府问题、劳资问题、婚姻问题……

人们认为只要有时间沟通感情、解释理由，许多问题就会自动消失。人们相信只要双方坐下来好好谈谈，问题就会迎刃而解。

但，事实上是不可能的。

如今，沟通本身就是问题。美国已成为全世界第一个信息过度传播的社会。我们传播的信息每年都在增加，但是被人们接受的信息却逐年减少。

传播的新方法

本书已写出一种新的传播沟通方法，名为“定位”(positioning)，而所举例证，大部分是取自各种不同形式的传播中最为棘手的一种——广告。

“广告”是传播方式之一，接受者对它的评价不高。在大多数情形下，人们既不想要广告，也不喜欢广告，在某些情况下，甚至厌恶广告。

许多知识分子认为，广告不过是诱惑人们把灵魂出卖给美国公司而已，并不值得认真研究。

不管广告的名声如何，也许正是因为如此，广告领域是测验传播理论极理想的场所。如果在广告中有效，则极可能在政治上、宗教上或其他需要大众传播的任何活动上都有效。

本书中的许多例证，也同样地来自政治、战争、商业等不同领域，甚至也包括了追求异性的技巧，影响他人心智的任何形式的人类活动都会涉及。不管你是想推销一辆汽车、一瓶可乐、一台电脑、一位候选人，还是你自己的职业。

“定位”是一种观念，它改变了广告的本质。这一观念如此简单，以致人们很难了解其功效之强大。

阿道夫·希特勒就运用过“定位”理论。和每一位成功的政治家一样，宝洁公司也运用了这一理论。

这话说远了。“弥天大谎”绝不是定位思想的一部分。从另外一方面说，华盛顿的政治战略专家们曾多次要求我们就定位观念提供更多细节。

“定位”的定义

定位从产品开始，可以是一件商品、一项服务、一家公司、一个机构，甚至是一个人，也许就是你自己。

但是定位不是围绕产品进行的，而是围绕潜在顾客的心智进行的。也就是说，将产品定位于潜在顾客的心智中。

定位最新的定义是：如何让你在潜在客户的心智中与众不同。

因此，将其称为“产品定位”是不正确的。这样说好像定位对产品本身进行改变。

并不是说定位不涉及改变，实际是涉及的。但是对名字、价格和包装的改变并非是对产品本身的改变。

这些改变基本上是属于装饰性的，为的是在潜在顾客的心智中占领一个有价值的位置。

定位也是第一个应对过度传播的社会中信息不被接受这一难题的思想体系。

定位是怎样开始的

如果用一个词来描述过去十年里广告发展的历程，这个词就非“定位”莫属。

定位已成为广告及营销人员中流行的行话。这种现象不只发生在美国，也遍及世界各地。

大部分的人士都认为“定位”始于1972年。那时我们写了一系列名为“定位时代”的文章，刊载于美国专业期刊《广告时代》（*Advertising Age*）上面。

由《广告时代》主编兰斯·克雷恩（Rance Crain）亲自负责，该杂志在1972年4月24日、5月1日和5月8日分三部分连载了关于“定位”的文章。在所有相关活动中，首先是这篇文章使定位观念传播开来，也使广告的威力在我们头脑里留下了深刻的印象。

不幸的是，“模糊”如今正在变得比“定位”更流行。

从那时起，我们已在世界上16个国家的广告界进行了500多场关于定位的演讲，并且散发了超过12万册的“桔黄色小册子”，里面重印了我们发表在《广告时代》上的系列文章。

定位已改变了如今广告游戏的规则。

山咖（Sanka）咖啡的广播广告说：“我们是美国销量第三的咖啡。”

第三？那些过去常见的广告词——如“第一”、“最好”以及“最佳”，等等——都到哪儿去了？

好啦！老广告的好日子已经一去不复返了，其所用的广告词也一样。今天你只能听到比较级形容词，而不是最高级。

“安飞士在租车行业只是第二位，为什么还租我们的车？因为我们工作更努力！”

“霍尼韦尔，另一家电脑公司。”

“七喜：非可乐。”

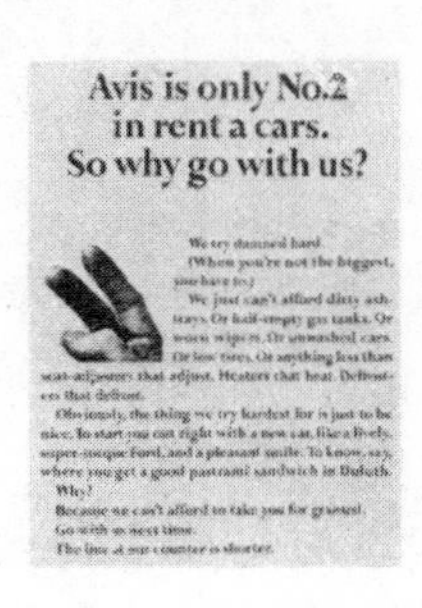

安飞士公司最初的定位广告，其中最后一行话在广告史上最为著名：“我们柜台前排的队更短。”

套用麦迪逊大道（美国广告界的同义语）的说法，以上这些都叫定位口号，而写这些口号的广告人，将时间及调查研究的费用用来寻求得到市场上的位置或者空隙。

然而定位所激起的兴趣已远超出麦迪逊大街的世界，其中自有理由。

任何人都能运用定位在人生游戏中领先一步。如果你不懂、不会使用这一原则，无疑会把机会让给你的竞争者。

POSITIONING

第1章

到底何为定位

作为一个营销概念，定位何以在以创意著称的广告行业如此风行？

实际上，过去十年的特点可以用“回归现实”来形容。白衣骑士（指爵士白（Ajax）去污粉的商标人物）及戴黑眼罩的人（指哈撒韦（Hathaway）衬衫的商标人物）的噱头已被这样的定位概念所取代，如“莱特（Lite）啤酒”[⊖]所称“有着你想在上好啤酒中得到的所有东西，只是量少一点。”

富有诗意吧？对。很有艺术性吧？对。但同时也是对基本定位直白、明确的解释。

如今你要想成功，一定要脚踏实地。真正值得考虑的现实，就是在潜在顾客心智中早已存在的认知。

就创造而言，去创造某种并未存在于心中的事物，即使是有可能，也一定是日益困难的。

定位的基本方法，不是去创造某种新的、不同的事物，而是去操控心智中已经存在的认知，去重组已存在的关联认知。

现今的市场，对过去发生效果的策略，已不再有响应。实在是因为有太多的产品、太多的公司以及太多的营销噪音。

我们还不明白“太多”的真正含义。比如一家中型超市如今已拥有四万个存货单位（SKU）。

定位怀疑者最常问的问题是，“为什么”。为什么广告及营销需要一个新方法？

⊖ 莱特啤酒（Lite Beer），是米勒啤酒（Miller-beer）的产品，Lite音同light，指淡啤。——译者注

传播过度的社会

答案是：我们已成为一个传播过度的社会。今天美国人均广告年消费额已达200美元。

如果你一年在广告上花100万美元，平均到每一位消费者身上的广告费每天还不到半分钱。而每位消费者已暴露在高达200美元的其他广告的轰炸之下。

在传播过度的社会中，谈论你的广告的冲击力等于在过度夸大你提供的信息的潜在效力。这种以自我为中心的观点与市场上的现实情况是脱节的。

人均200美元是基于广义的广告概念得出的。如果你只计算“传媒开支”的话，1972年的实际数字是人均110美元左右。而今天，这一数字已达到880美元。我们确实生活在一个传播过度的社会里，而且没有情况好转的迹象。

在传播过度的社会中，获得成功的唯一希望，是要有选择性，集中火力于狭窄的目标，细分市场。一言以蔽之，就是“定位”。

人的心智是海量传播的防御物，屏蔽、排斥了大部分的信息。一般而言，人的心智只接受与其以前的知识与经验相匹配或吻合的信息。

千百万的投资，已虚掷于以广告改变人心智的企图上。心智一旦形成，几乎不可能改变，力量微弱的广告当然更不可能。“我心已决，不要再以事实来困惑我吧！”这就是大部分人的生活方式。

一般人可以忍受别人对他们说一些自己一无所知的事情。（这说明了“新闻”为什么是一种有效的广告方式。）但一般人不能容忍别人说他们的想法是错的。改变心智是广告的灾难。

过度简化的心智

不要试图改变人类的心智成了定位理论最重要的原则之一。这是营销人员违背得最多的一项原则。说实话，很多公司每天都在浪费数以百万计的美元，企图改变潜在顾客的心智。

在传播过度的社会中，人的唯一防卫力量就是过度简化的心智。

除非能废除每天24小时的自然法则，否则就不能把更多信息塞进心智。

普通的心智像滴水的海绵，充满了信息。只有把已存的信息挤掉，才有空间吸收新的信息。然而，我们却想继续不断地把更多的信息塞进已过度饱和的海绵中，同时又为无法使人接受我们的信息而感到失望。

当然，广告也不过是传播冰山露出水面的一角。我们采用形形色色使人迷惑的方法互相沟通，其数量则以几何级数增加。

媒体可能不是信息，但却大大影响信息。媒体更像过滤器，而不是传递系统，只有极小部分的原始资料最终会进入接受者的心智中。

而且，我们接受的信息又受到过度传播的社会本质的影响。“辞藻华丽，千篇一律”，在传播过度的社会已成为一种生活方式，且不说它们确有效果。

在技术上，我们至少有增加十倍传播量的能力。人们早已开始用卫星直播电视节目了，每个家庭有50个左右的频道可以选择。

而且，信息仍不断增加。德州仪器仪表公司推出了一种“磁泡”存储器，它能在一块芯片上存储92 000位的信息，是市场上销售的存量最大的半导体存储器的6倍。

真了不起！但是，有谁在为人脑研制“磁泡”？谁在努力去帮助潜在顾客应付如此复杂的状况——心智在面对大量的信息时，只知道拒而不纳？唾手可得的信息被接受得越来越少？传播本身就是传播的问题。

无疑，卫星电视获得了巨大的成功，大多数消费者已经拥有了可供他们任意选择的50个频道。如今大家谈论的是今后要扩大到500个频道左右。既然普通消费者平时只看五六个频道，要500个频道有什么用呢？

500个频道？等到你找到想看的节目时，它已经结束了。

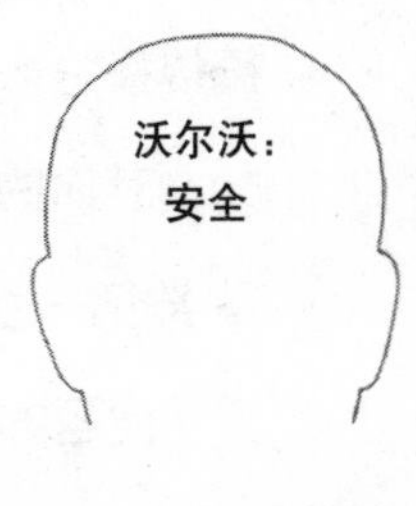

简化信息这个定位观念又进一步发展成我们“一词占领心智”的理论。例如，沃尔沃用的是“安全”一词，宝马用的是“驾驶”，联邦快递是“隔夜到达”，佳洁士是“防蛀”。

尽量简化信息

应对传播过度的社会最好的方法，就是尽量简化信息。

传播和建筑一样，**越简洁越好**。

一旦在顾客的心智中拥有了一个词，你就得利用它，否则就会失去它。

你一定要“削尖”你的信息，使其能切入人的心智；你一定要抛弃意义含糊、模棱两可的语词，要简化信息；如果想给人留下长久的印象，就要再简化些。

依靠传播为生的人，都知道尽量简化的必要。

比如说你要协助一位政客参加选举，在面见这位政客5分钟内，你对这位政客的了解会比普通选民未来5年对他的了解还要多。

因为你的候选人的信息很少会进入选民的心智，所以你的工作不是普通意义上的“传播”。

你的工作其实是筛选，筛选出那些最容易进入心智的材料。

阻碍信息发生作用的是传播量，只有当你认识到问题的本质后，你才能通晓解决之道。

当你想为一位政治候选人或一项产品，甚或是你自己的优点进行传播时，你必须把问题本质找出来。

对你的问题，不要在产品之中，甚至也不要在你自己的心智中寻求解决之道。

问题的解决之道，存在于潜在顾客的心智中。

换言之，由于你能传递给接受方的信息是那么稀少，因而你就应忽视信息的传播方，聚焦于信息的接受方。你应聚焦于潜在顾客的认知，而非产品的现实。

前纽约市长约翰·林赛（John Lindsay）说：“在政治上，认知就是现实”；在广告上、商业上以及在生活上都是一样。

可是，怎么看待真理？怎么看待真实情况？

什么是真理？什么是客观现实？每一个人似乎都本能地相信，

唯有他自己才掌握着了解普遍真理的钥匙。当我们谈到真理时，我们说的是什么真理？是从局内人的观点说，还是从局外人的观点说？

这两者之间确实有所不同。按照另一个时代的说法："顾客永远是对的。"言外之意就是，销售者或传播者永远是错的。

接受"传播者是错的，接受方是对的"的想法可能有些愤世嫉俗。但如果你想让你的信息被别人衷心接受，你确实别无选择。

此外，谁说局内人的观点比局外人的更正确？

把这个过程转过来，**把焦点集中于潜在顾客而非产品，你就简化了选择过程，也学到了原则与观念，这有助于你大幅提高传播效率。**

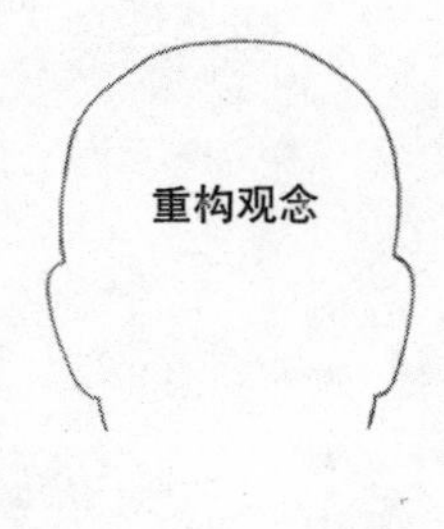

真理与之无关。重要的是人们心智中已存的认知。定位思想的本质在于，把认知当成现实来接受，然后重构这些认知，并在顾客心智中建立想要的"位置"。我们后来称这种方法为"由外而内"的思维。

心理学研究对于理解大脑运行机制非常有用。广告就是"实践中的心理学"。

POSITIONING

第2章

心智备受骚扰

美国深爱“传播”这一概念（目前在某些小学中，“表演与讲授”也称为“传播”）。我们往往忽视过度传播给社会造成的损害。

在传播上，多则是少。我们过度使用传播解决大量商业及社会问题，因而堵塞了我们的传播渠道，以至于只有极小量的信息能够通过，而且所通过的还不是最重要的信息。

传播渠道阻塞

以广告为例，美国人口仅占世界人口的6%，而消费了全世界广告总量的57%（也许你会想到，我们过度使用能源。实际上，美国只消费世界能源的33%而已）。

在过去的20年里，最引人注目的进步之一是营销思想在全世界的普及。许多发达国家的广告量正在接近美国。如今，美国的广告量不及世界总量的1/3。

如今图书出版是每天1 000种。仅美国国会图书馆一家的藏书量每年就会增加30万册。

在传播的河流中，广告当然只是一条小小支流。

以书籍为例，平均每年美国出版30 000种新书。一年有30 000种新书问世好像不多，但是当你了解到哪怕每天读24小时，尚需17年的时间才能读完一年所出版的书时，你就知道那并不少。

谁能跟得上？

再说报纸，美国每年消耗新闻纸超过1 000万吨。也就是说，每人每年消费80多斤报纸（与他们每年的牛肉消费量大致持平）。

一般人能否“消化”这些信息，是一个问题。一份大都市报纸的周日版，如《纽约时报》，可能包含50万字。以平均每分钟读300字的速度计算，全部看完大约需要28小时。这样一来，不单单是你的星期天要全部算进去，还要在平常搭上好多时间。

有多少信息又能完成传播任务呢？

以电视而言，它是一种问世不到30年的媒体，也是一种影响巨大、无处不在的媒体。电视并没有取代广播、报纸或杂志。这三种更传统的媒体，比以往的任何时期都更大更强。

新出现的媒体哪一种也不能取代现有的媒体，但它却改变和改造了原先的媒体。电台广播过去是一种娱乐性媒体，如今则成了新闻、音乐和谈话媒体。仅休斯敦一座城市就有185个频道。美国现在拥有12 458座电台，却仍然没有迹象表明，传播对心智的这种骚扰今后不会愈演愈烈。《纽约时报》周日版的字数如今仍然在50万字上下。

网络
电视
广播
杂志
报纸
书籍

尽管美国企业大量使用个人电脑，我们依然面临着纸张的海洋。办公人员每年平均要用掉重达250磅的复印纸。“无纸化办公”时代似乎远未到来。

电视是一种令人上瘾的媒体，电视所增加的传播量让人畏惧。

全美98%的家庭至少每家拥有一台电视机（1/3拥有2台或以上）。

96%拥有电视机的家庭，能收视4家以上电视台的节目（1/3能收视10家以上）。

美国家庭平均每天花7小时22分钟看电视（每周超过51小时）。

像电影一样，电视画面也是每秒钟改变30次的静止画面。也就是说，美国家庭每天平均要看大约795 000万张画面。

我们不只被画面烦到极点，我们也被文件烦得要死。以办公室的施乐复印机为例，美国企业目前拥有3 240多亿份文件，每年还要再加上720亿份（每年仅印制文件的费用就超过40亿美元）。

至于五角大楼中的复印机，每天复印35万页，分发给国防部的各单位，这等于1 000本厚厚的小说。

“第二次世界大战的结束，”陆军元帅蒙哥马利曾说过，“要等到各参战国纸张用完的那一天。”

就包装而言，一包半斤重的Total牌早餐麦片的包装盒上有1268个字。此外，还提供一本有关营养的免费小册子（此册又包含另外3 200字）。

心智受到骚扰的形式还有很多。美国国会每年通过约500种法律（真够糟的），行政机关在一年中会颁布10 000种新的行政命令与法规。

现在的《联邦法规汇编》共有8万多页，而且正在以每年5 000页的速度增厚。

在州一级，每年要提出超过25万项的法案，通过立法程序的也有25 000项，这一切都融入法律的迷宫之中。

对法律的无知是没有借口的，但立法者显然是无知的。他们连续不断地通过成千上万的法律，简直让人应接不暇。即使你能应对，也不可能记得这州的法律和另外一州的有什么不同之处。

有谁阅读、观看和倾听全部这些汹涌而下的传播内容呢？

在通向心智的道路上，交通阻塞、引擎过热，火气和温度正在同时上升。

布朗、康纳利和雪佛兰

你对加州州长杰里·布朗（Jerry Brown）有多少了解？

大多数人只知道四件事：他年轻；他一表人才；他和琳达·朗丝黛（Linda Ronstadt）约会过；他反对大政府。

新闻界对这位加州主管的大肆报道并没有给人留下多少印象。有人在一年之内就写了四本有关此人的书。

> 20年里，大多数人对杰里·布朗的了解只多了一点：他现在是加州奥克兰市市长。

除了你所在州的州长，其他49个州长的名字你能叫出几个？

在1980年大选初选中，约翰·康纳利（John Connally）花了1100万美元才得了一张选票，而名不见经传的如约翰·安德森（John Anderson）和乔治·布什（George Bush）最后却获得了好几百票。

康纳利的问题出在哪儿？人人都知道他是个独断专行的人。“这个认知太根深蒂固了，”他的竞选战略顾问说，“谁也不可能改变。”

乐观地讲，在一个传播过度的社会里，传播是件难事。假如没有传播，你也许过得更好。至少在你做好长远打算之前如此。一旦给人留下了第一印象，就绝不会有机会更改它。

你觉得如下这些名称有何意义：Camaro、Caprice、Chevette、Concours、Corvette、Impala、Malibu、Monte Carlo、Monza和Vega？

都是汽车的车型名称，对吧？当你知道这些都是雪佛兰的车型名称时，你会感到吃惊吗？

Camaro
Cavalier
Corvette
Impala
Lumina
Malibu
Metro
Monte Carlo
Prizm

这9个雪佛兰的2000年车型如今的知名度很可能比它1972年的10个车型还低。这些容易混淆的名称使得雪佛兰的地位落到了福特之后而屈居第二。

雪佛兰车是世界上广告最多的产品。近年来，通用汽车公司在美国国内花费13 000多万美元来推广雪佛兰牌汽车，即每天花35.6万美元，每小时花1.5万美元。

你对雪佛兰知道多少？关于雪佛兰的引擎、变速箱与轮胎？关于座位、内部装饰、驾驶系统？

说实在的，你到底熟悉多少雪佛兰车型以及各车型间的差异？

“棒球、热狗、苹果派和雪佛兰。”对于传播过多的社会所面临的诸多问题，只有一个回答，那就是雪佛兰式的回答。

要想让信息穿越层层的屏障，抵达潜在客户的心智，你必须使用一种尽量简单的方法。

本书提供的方法也许会让你觉得不可思议，甚至不道德（幸好不是非法或无效的）。要想穿越堵塞的传播通道，你必须运用麦迪逊大街所使用的技巧。

在美国，将近一半的职业可归入信息产业类。在我们这个传播过度的社会里，谁也摆脱不了深陷其中的结局。

实际上，每个人都可以学会如何把麦迪逊大街的经验教训应用到自己的生活中去，无论是在家里，还是在办公室里。

媒体爆炸

信息流失的另一个原因，是我们为传播而发明了太多的媒体。

电视分商业、有线和付费电视。

广播分中波和调频。

户外广告分海报和广告牌。

报纸分晨报、晚报、日报、周报和周日报。

杂志分大众杂志、专业社会杂志、发烧友杂志、商业杂志和行业杂志。

当然，还有公共汽车、卡车、有轨电车、地铁以及出租车。一句话，今天任何能移动的物体，都带着“来自广告主的信息”。

甚至于人的身体，也成为活动广告牌，给阿迪达斯、古奇、璞琪及歌莉亚范德比等品牌做广告。

再以广告为例，第二次世界大战刚结束，美国人均广告消费大约

谁也无法预测未来。媒体家族里添了互联网之后，我们认为它将成为现有媒体中最了不起的一员，对人类生活的影响也最大。

现在竟然有人试图把广告贴到公共浴室的门上。

为每年25美元。今天则是当年的8倍（尽管这一增长有通货膨胀的因素，但广告量的大幅增长是决定性因素）。

你对所购买的产品同样也有8倍的了解吗？你也许接触了更多的广告，但你的心智却不能比过去接受更多。心智的容量很有限，即使在当年25美元的水平上，也早已超出限度。长在你脖子上的那个不到一升大小的容器，就只能容纳那么多。

如今美国消费者的人均广告消费额是200美元，平均每年接触到的广告量为加拿大人的2倍，英国人的4倍，法国人的5倍。

当然，没有人怀疑广告主投放广告的财力，不过对于消费者是否有全盘接受的心智能力却有质疑。

产品开发29%
战略计划27%
公共关系16%
调研与开发14%
金融投资14%
广告10%
法律咨询3%

广告量如此急剧增加的后果之一是：作为营销的手段，广告作用降低、公关作用增强。美国广告联合会最近在1 800名高级经理中就企业各项职能的重要性所开展的一次调查表明，公关比广告更为重要。

日复一日，成千上万的广告信息争着在潜在顾客的心智中占一席之地。毫无疑问，心智就是战场。就在这仅有10多厘米宽的心智灰质层里打响了广告战。战争残酷，毫无怜悯宽恕可言。

广告行业残酷无情，犯错误要付出高昂的代价。但是，人们从历次广告战中总结出的一些原则，可以帮助你应付传播过度的社会。

产品爆炸

造成信息不断流失的另一个原因，是我们发明了太多的产品用于满足我们的生理与心理需求。

以食品为例，美国一家普通的超市，大约陈列着一万种产品或品牌，这令消费者应接不暇。事实上，产品的爆炸愈演愈烈。欧洲人正在建立超超级市场，名为“超大型超市”，可以陈列3万～5万种商品。

包装食品业显然希望这种增长继续下去。大部分包装盒上印有条形码，由10位数字组成（美国的社会安全号码只有9位，这个系统是为管理2亿以上的人口设计的）。

制造业的情况也一样。例如，在托马斯注册公司登记在册的8万家公司里。随便挑两个行业看看：有292家公司生产离心泵，有326家公司制造电子操纵器。

在美国专利局注册的商标中，大约有45万个仍然有效。每年还要增加2.5万个新商标（没有商标的产品还有数十万种）。

在典型的年份里，在美国证券交易所上市的1 500家公司每年要推出5 000种“重要的”新产品。估计不重要的新产品要比这多得

20年来，超级市场越来越大。如今一家普通的超市就能陈列4万种商品。相比之下，人均拥有的词汇量只有8 000个。

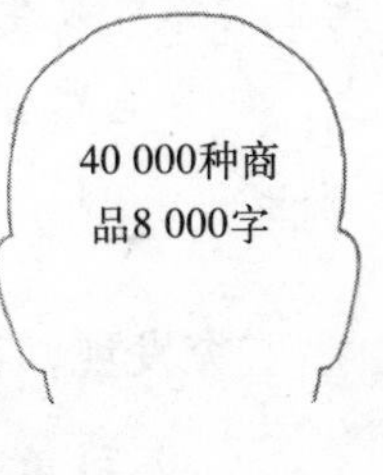

项目	20世纪70年代	20世纪90年代
菲多利（Frito Lay）薯片的种类	10	78
软饮料品牌	20	87
牙线	12	64
软件名称	0	250 000
跑鞋	5	285
隐形眼镜的种类	1	36
瓶装水品牌	16	50
女式裤袜种类	5	90

请从产品爆炸的角度考虑这些数字。

多。更不用说美国其他400万家公司提供的产品与服务了。

以香烟为例。目前市场上有175种香烟品牌（要想造一台自动售货机，容纳所有这些牌子的香烟，它得有9米长）。

再以药品为例，在美国市场上，处方药约有10万种。尽管其中有许多是专用药，只有专科医生才能用，但普通医生仍然面临着了解大量现有药品的艰巨任务。

幸亏FDA（食品和药物管理局）法规中对批准药品有严格的规定，市场上的处方药种类增加不多。真正的爆炸发生在非处方药品市场上。如今竟然有50多种不同类型的“泰诺”。

艰巨？不，这简直是一个无法完成的任务。即使赫拉克勒斯⊖，也记不住这么多药品中的一小部分。奢求更多等于完全忽视了心智容量有限的事实。

那么普通人又如何应付产品及媒体的爆炸呢？对人脑敏感性的研究发现，存在一种“感觉超载”的现象。

科学家发现，人只能接受有限的感觉。超过某一极限，脑子就会一片空白，失去正常的功能（牙科医生就一直在利用这些发现，他们给病人戴上耳机，将声音调大，一直到他没有痛觉）。

广告爆炸

具有讽刺意味的是，当广告效果降低的时候，广告应用反而增加。这不只表现在广告量上，广告主的数量也在增加。

⊖ 赫拉克勒斯（Herculean），希腊神话中为完成12项艰巨任务的天神宙斯之子。——译者注医师、律师、牙医、会计师都开始使用广告。甚至连教堂、医院及政府这类组织，也开始做起广告来（1978年，美国政府的广告开支为128 452 200美元）。

过去，专业人士一向认为做广告有失身份。但对于其中一些专业人士来说，金钱比尊严更为重要。于是为了赚大钱，医生、律师、牙医、验光师、会计师和建筑师们都开始了自我推销。

他们也面临着比以往更加激烈的竞争。10年前，美国有132 000名律师，如今则有432 000名。与10年前比，多出的30万个律师都在四处招揽生意。

医药行业的情况同样如此，传播过度的社会也正变为一个医生过剩的社会。据美国国会技术评估办公室称，估计在本年代末，全国约有185 000名过剩的医生。

这些医生如何能找到病人呢？当然，还是靠广告。

但是，反对做广告的专业人员却说广告贬低他们的专业。确实如此。今天要有效地做广告，你就得放下架子，虚心听取外界的意见。你还需要与潜在顾客的认知保持一致。

在做广告时，自矜与骄傲一样，都会导致毁灭，傲慢的人最终必将败亡。

现在已经出现了大量的律师做的广告（比如，受害者请打1-800——诉讼热线）和会计师做的广告，如安达信等。不过，医疗保健制度、医疗补助制度和税法却使得医疗领域中的免费服务所剩无几。

如今我们又目睹了这样的情况：在华尔街源源不断的资金支持下，网络公司纷纷涌入传媒业。

POSITIONING

第3章

进入心智

传播是最重要的，这是传播过度的社会的悖论。有了传播，你才可能无往不至。否则，无论你是如何胸怀大志而且多才多艺，仍然会一事无成。

所谓幸运，也常是成功的传播所带来的自然结果。

在适当的时机对适当的人说适当的话。

定位是寻找心智之窗的一套有组织的体系。它以这样一个概念为基础，即传播只有在正确的时机和环境下才能实现。

进入心智的捷径

成为第一，是进入心智的捷径。问自己几个简单问题就能证明这一原理的有效性。

第一位单独驾驶飞机横越北大西洋的人是谁？查尔斯 · 林德伯格（Charles Lindbergh），对吧？

那么，第二位单独驾驶飞机横越北大西洋的人是谁？

不那么好回答了吧？

第一位在月球漫步的人是谁？当然是阿姆斯特朗了。

第二位是谁呢？

世界第一高峰的名字叫什么？喜马拉雅山的珠穆朗玛峰，对吧？

世界第二高峰的名字叫什么？

你的初恋情人的名字叫什么？你的第二位情人的名字呢？

第一人、第一高峰、第一家占据你心智的公司名称很难从记忆中抹掉。

照相业的柯达（Kodak）、计算机的IBM、复印机的施乐（Xerox）、租车业的赫兹（Hertz）、可乐中的可口可乐、电气业的通用电气，都在此列。

要想“在心智中留下不可磨灭的信息”，你首先需要的根本不是信息，而是心智，是一个纯洁的心智，一个未受到其他品牌污染的心智。

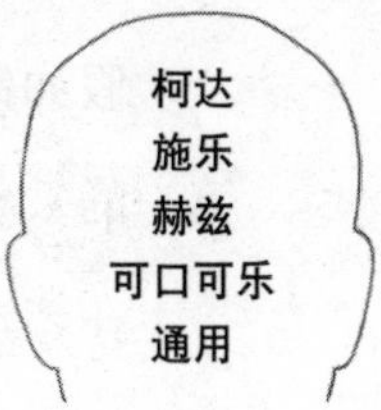

这些品牌之间有什么共同之处？它们都是同类产品中第一个进入心智的品牌。如今这些品牌在它们的品类中仍然位居前列。“当第一胜过做得更好”是迄今为止最有效的定位观念。

柯达
施乐
赫兹
可口可乐
通用

商业上合理的事在自然界也同样合理。

动物学家用“印刻现象”这个术语来描述新生动物第一次看到其生母时的情景。仅需数秒钟的时间，这幼小的动物就能永远把母亲的形象印刻在脑中。

你也许觉得所有的鸭子看起来都是一个模样。然而，不管你怎样把鸭群打乱，即使刚出壳一天的幼鸭，也会认出它的妈妈。

不过，这并不全对。假如印刻过程受到一条狗、一只猫甚至一个人的干扰，这只幼鸭会认为代替者就是自己的生母，不管它的模样与自己有多么不同。

坠入情网也是类似的现象。人类尽管比鸭子更懂得选择，但他们的选择可能并不像你所想的那样。

最关键的是接受性，两个人一定要在一种双方都能接受这一想法的情况下相遇。彼此敞开心扉，也就是说，双方都还没有深爱着其他的人。

作为人类的一项制度，婚姻建立在“第一”胜过“最好”的观念上。商业也是一样。

假如你想在爱情上或商业上成功，就必须认识到在心智中取得第一的重要性。

在超市里建立品牌的忠实度，和在婚姻上建立配偶的忠诚度一样。你要首先抵达，然后多加小心，别让对方找到转换的理由。

进入心智的难点

假如你的名字不是查尔斯、尼尔、舒洁或赫兹，那该怎么办？假定别人已经首先进入潜在顾客的心智，又该怎么办？

要想第二个进入人们心智就难多了。屈居第二和默默无闻没什么区别。

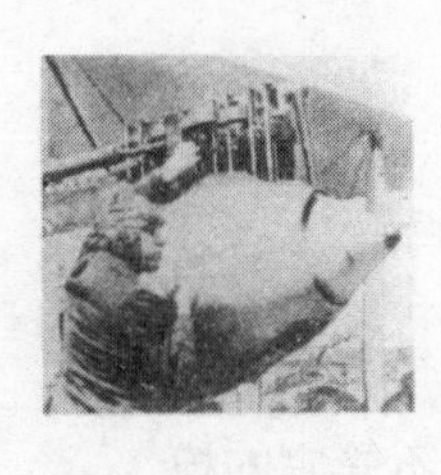

伯特·欣克勒（Bert Hinkler）是第二个独自飞越大西洋的人。可是，说实话，你听说过他吗？自他离开家后，他母亲再也没有听到他的消息。伯特，往家里打个电话吧。你妈妈正在为你担心呢。（顺便说一下，第二个独自飞越大西洋的女性是贝丽尔·马卡姆（Beryl Markham），她也同样鲜为人知。）

自古以来，销量最多的书是哪一本？（也是第一本用活字版印刷的书？）当然是圣经。

第二本销量最多的书是什么？谁知道呢？

纽约是美国最大的货运港口。第二大是哪个港口？你能相信是弗吉尼亚州的汉普顿港吗？没错，就是它。

第二个独自飞越北大西洋的人是谁？本书作者确实也很想知道这个问题的答案。为了给诸位省下邮资，还是告诉你们吧。

阿米莉娅·埃尔哈特（Amelia Earhart）不是第二个独自飞越北大西洋的人，但她是第一个完成此举的女性，那么，谁又是第二位完成此举的女性呢？

假如你没有第一个进入潜在顾客的心智，（无论是作为个人、政客、还是商家）就会遇到定位上的难题。

在体育竞赛中，胜算往往是最快的马、最强的队、最好的选手。达蒙·鲁尼恩（Damon Runyan）说："竞赛并非总是最快的得第一，战斗也不一定是强的得胜，然而这却是下赌注的方式。"

心智竞赛却不同。在心智战中，胜利往往属于进入潜在顾客心智中的第一个人、第一种产品及第一位从政者。

当第二也能成功。试看这些向老大挑战的第二品牌：佳洁士挑战高露洁、富士挑战柯达、安飞士挑战赫兹、百事可乐挑战可口可乐。第三、第四则会面临严重的问题。

在广告上，第一个建立地位的产品有巨大的优势。施乐、宝利莱、波波洋（Bubble Yum）[⊖]是另外几个有名的例子。

在广告上，最好能在你的领域里拿出最好的产品。能成为第一则更好。

第二次恋爱也许是美妙的，但没人会关心谁是单独驾机飞越北大西洋的第二人，即使此人是更好的驾驶员。

本书提供了如何处理屈居第二名、第三名，甚至第203名的定

⊖ 泡泡糖的一个品牌。——译者注

阿米莉娅·埃尔哈特是第三个独自飞越大西洋的人，但那不是她出名的理由。她能出名是因为她当了“第一”，即她是第一个完成此举的女性。“你如果不能在这一方面争得第一，那就在另外一个领域成为第一，”这是第二有效的定位原理。

位策略（详见第8章“重新定位竞争对手”）。

但你首先要确认已找不出能成为第一的领域，俗话说，宁为鸡头，不为凤尾。

广告界的教训

广告界好不容易才从林德伯格身上接受了教训。20世纪20年代股票市场的景象，正是广告业在60年代的景象，人们把那个年代叫做“什么都卖得掉的60年代”。

令人兴奋的“什么都卖得掉”的年代是一次营销的狂欢。

在那次狂欢中，人人都很投入，几乎没人想到会赔钱。公司觉得只要有钞票的魔力及聪明的人才，搞任何营销项目都能成功。

那些沉船的残骸还在一个接一个地被冲上海滩。如杜邦公司的可发姆人造皮革；加布林格（Gablinger's）公司的啤酒；Convair牌880型汽车、Vote牌牙膏、Handy Andy牌吸尘器等。

世界不会回到从前，广告业也是一样。

有位大型消费品制造公司的总裁最近说：“伸出手指数一数过去两年里成功打入全国市场的新品牌有几个，连小指都数不到。”

许多公司努力过。每家超市的货架上，都塞满了大量的“半成功”品牌。这些跟风产品的制造商都把希望寄托在“出色的”广告宣传活动上，希望借此让自己的品牌挤上颁奖台。

同时，他们还坚持不懈地推出优惠券，采取打折以及现场展卖等措施，可利润仍难以到手，就连那种“出色的”广告宣传，即使做了也似乎从未为品牌扭转乾坤。

难怪广告主题出来后，公司管理人员会心存疑虑。他们不去寻找新的方法提高广告的效力，而是提出一些方案，以降低当前的成本。于是便兴起了房屋经纪、传媒收购和易货服务业。

这就足以迫使一个广告人转行去做冰淇淋生意了。

市场上的混乱反映了一个事实，即广告沿用过去的习惯做法已不再有效。但是，老一套行事方法不易杜绝。守旧的人会说：“只要产品良好、计划周到、广告片具有创意，广告是没有理由不能完成其任务的”。

然而他们忽视了一个重要的、显而易见的原因，就是市场本身。今天市场上的噪音实在太大了。

在今天传播过度的社会中，用老的、传统的方法去制造信息是不会有成功的希望的。

回顾一下近代传播业的历程，会有助于了解我们是如何走到今天这个地步的。

产品时代

回溯20世纪50年代，广告业正处于产品时代。从多方面看，那真是一段美好的时光。你所需要的就是一个“更好的捕鼠器”和推广资金了。

当时的广告人，把注意力集中于产品的特点及顾客的利益上。他们所寻求的是劳斯·瑞夫斯（Rosser Reeves）所称的“独特的销售主张”（Unique Selling Proposition, USP）。

然而在20世纪50年代末期，科技开始显露出其丑恶的一面[⊖]。确立“独特的销售主张”变得日益困难。

“独特的销售主张”能以其他方法建立起来。详情参见《与众不同》[⊜]（*Differentiate or Die*）。

伴随着大量的模仿产品雪花似地涌入市场，产品时代终结了，很快就有另外两个和你一样好的产品跟进。这两个都声称比第一个更好。

竞争激烈，但不总是诚实可信的。其情况竟恶劣到偶尔会听到一个产品经理说：“你可能不知道，去年我们找不到广告词，只能在外包装上写上‘改进的新一代’。今年研究人员提出了真正的改良产品，我们真不知道该说什么好了”。

20世纪50年代，广告人先设法找到能打动市场的产品特点和顾客利益，然后用大广告量将其打入心智。

如今，联邦贸易委员会质疑“改进的新一代”这样的用语，除非企业能证明这一点。

⊖ 科技发达使得新产品很快被其他商家模仿。——译者注

⊜ 本书中文版已由机械工业出版社出版。

形象时代

接下来是形象时代。许多成功的公司发现，声誉与形象比任何明确的产品特点更有利于产品销售。

形象时代的建筑大师是大卫·奥格威。他在一次以此为主题的著名演讲中说："每一则广告都是对品牌形象的长期投资。"他在哈撒韦衬衫、劳斯莱斯汽车、舒味思（Schweppes）汽水及其他产品上，证明了其构想的有效性。

然而，正如跟风产品毁灭了产品时代，跟风公司也毁灭了形象时代。当每一家公司都努力为自己建立形象时，其互相干扰的程度之高，没有几家公司能够取得成功。

20世纪60年代，广告人发现声誉和形象比任何单一的产品特点更重要。

靠形象成功的品牌，大部分又都是由于惊人的技术成就，而非突出的广告成就。"施乐"和"宝利莱"就是这样的例子。

定位时代

今天，广告业显然已迈进一个崭新的时代。在这个时代，创意已不再是广告成功的关键。

六七十年代的轻松快乐已经让位于80年代残酷的现实。

要想在传播过度的社会里取得成功，企业必须在潜在顾客的心智中占有一个位置。这一位置不仅包含企业自身的强势与弱势，

20世纪70年代，广告人不久便采用了定位，其中包括力图在潜在客户心智中占据一个未被其他品牌占领的位置。

广告业没用多少时间就追上了定位的大潮。在《广告时代》有关定位的文章发表一个月后，英国各地就出现了以上这幅广告。当然，没人把功劳算在我们头上。

还包括竞争对手的强势和弱势。

广告业正进入一个战略为王的时代。在定位的时代，发明或发现某一事物并不够，甚至没有必要。但是，你必须要做到第一个进入潜在顾客的心智。

IBM并没有发明电脑，电脑是兰德（Sperry-Rand）公司的发明。然而IBM是第一个在潜在顾客心智中建立电脑定位的公司。

阿美利哥发现了什么

15世纪时的兰德公司是哥伦布。

正如每位小学生所了解的，这位发现美洲的人所获得的报酬甚少。哥伦布的错误在于为寻找黄金，对外守口如瓶。

阿美利哥·韦斯普奇⊖并不是最早发现美洲（America）大陆的人。他是15世纪的IBM，阿美利哥比哥伦布晚5年，但他做对了两件事。

第一，他把新世界定位为独立的大陆，完全与亚洲大陆分开。这在当时的地理学上引发了一场革命。

⊖ Amerigo Vespucci（1454—1512），意大利航海家，曾三度航海至美洲大陆。——译者注

第二，他大量写作，介绍他的发现与理论。其中意义特别重要的是，在他第三次远航时写的五封信，其中一封在短短25年的时间里被翻译成40种不同的文字。

在他去世之前，西班牙授予他西班牙公民的称号，并赐以高官厚禄。

结果，欧洲人居然以为是阿美利哥·韦斯普奇发现了美洲，并以他的名字来命名新大陆。

哥伦布则死于狱中。

米狮龙发现了什么

过去一些伟大的撰稿人如今都到天堂里的大广告公司高就去了，如果他们能看见如今的某些广告宣传，准会再死一回。

以啤酒广告为例，过去，一位啤酒广告撰稿人会仔细了解产品，为文案撰写寻找背景资料。他最终会发现这样的产品特点，诸如“真正鲜酿”的Piels以及“低温酿造”的百龄坛（Ballantine）等。

更早一点的年代里，文案人员只要找出描写产品质量、滋味和口感的合适的措辞就行了。

例如：

“尝尝啤酒花的味道”

“来自蓝天碧水之乡”

“品尝顶级淡啤的真正乐趣”

然而，诗意在如今的广告中已不复存在，就如同在今天的诗中找不到任何诗意一样。

近来最成功的广告之一，是米狮龙啤酒的广告宣传。这个品牌的广告宣传中所含的诗意与交通标志中的诗意一样多，而且像交通标志那样见效。

“米狮龙堪称一流”将此品牌定位成高价美国啤酒。只在几年之间，米狮龙在美国已成为销售量最大的啤酒之一，而且价格不菲。

米狮龙是美国国内第一个高价位啤酒吗？当然不是。然而米狮龙却是在啤酒消费者心智中第一个建立这一定位的啤酒品牌。

米狮龙不是第一个进入啤酒消费者心智的高价啤酒。捷足先登的是喜力啤酒。于是米狮龙采用了阿米莉娅·埃尔哈特的战略。喜力是第一个高价进口啤酒，而米狮龙成了第一个高价国产啤酒。不幸的是，米狮龙因提出“夜晚属于米狮龙”这样的话而丧失了“一流”的地位。这太糟糕了。要不然它有可能跻身两三种最畅销的国产品牌啤酒之列。

米勒发现了什么

请注意，那句著名的施利茨（Schlitz）啤酒的广告词中的诗意是如何掩盖定位的：“品尝顶级淡啤的真正乐趣”（Real gusto in a great light beer）。

在你家附近的酒吧及烤肉馆中，有谁会相信舒立滋比百威或蓝带啤酒更淡？谁也不会。舒立滋的广告词对酒客而言，如同意大利歌剧一样难懂。

然而，米勒啤酒公司很明显问过自己，假如他们真的把某种啤酒定位为淡啤，会出现什么情况？

于是，米勒公司推出了莱特啤酒，其余的就是历史了。它迅速取得了成功，因此产生了大量模仿品牌，说来好笑，其中也包括舒立滋淡啤酒在内（也许它可以用这样的话来宣传“品尝顶级淡-淡啤的乐趣”（Real gusto in a great light-Light beer.）。

现今，对许多人或产品，通往成功的捷径是看看你的竞争对手正在做什么，然后去掉其中的诗意或创意，因为这些已经成为阻碍信息进入心智的障碍。用一种单纯、简单的信息，你就能进入潜在顾客的心智。

例如，有一种进口啤酒，它所用的定位战略可谓简单至极，从前的啤酒广告的撰稿人甚至不可能接受这样的广告词：

“你已尝过在美国最流行的德国啤酒，现在该尝尝在德国最流行的德国啤酒了”。贝克啤酒就是这样针对卢云堡啤酒有效地给自己定位的。

这样的广告使得贝克啤酒在美国流行开来，销量逐年增加。相反，卢云堡（Lowenbrau）啤酒放弃了挣扎，变成了一个国产品牌。

如果老一代广告人对当前的啤酒广告迷惑不解的话，他们又如何

定位不是万能的。莱特啤酒是成功定位的出色案例，但在法律上却是一场灾难。米勒啤酒公司发现它在啤酒品类中不能合法拥有“淡”（即英文中的light）这个通用名称，只能把“莱特”啤酒改名为“米勒莱特”，以区别于市场上业已出现的其他几十种“淡”啤酒。莱特的教训是：不要给你的品牌起通用名称。后来，米勒公司把它的莱特品牌与其他的莱特品牌（如“真正鲜酿”和“米勒冰爽淡啤”）混为一谈。现在百威淡啤是第一。

“美国最受欢迎的德国啤酒”这句话使贝克啤酒连年成为进口啤酒的主导品牌。不幸的是，作为一种德国啤酒，其名称“贝克”一看就是英国名，而荷兰啤酒“喜力”却因为起了一个德国名字而走运。品牌名称和它的定位一样重要，也许比定位还重要。

看待环球航空公司的宣传呢：“我们只有大家最喜欢的宽体客机——波音747和L-1011。”（换句话说，没有DC10型客机。）

这无论是在观念上还是在执行上都与传统的航空公司广告相去甚远，原来的广告语会是这样：“来美国友好的天空中飞翔吧。”

奇怪的事情已在美国的广告界发生，它明显不令人赏心悦目，但却更有效力。

POSITIONING

第4章

心智中的小阶梯

我们对心智的研究越深入，就越能看到心智同计算机存储器更多的关联性。要想使一个新品牌进入心智，就得删除或重新定位已经占据品类阶梯的老品牌。计算机的运行方式也完全相同。

为了更好地了解信息传递的困境，让我们深入了解传播的终极目的地：人类的心智。

像电脑的储存器一样，人的心智也有一个空档或位置，把所选择的每一单位的信息储存在那里。从操作层面上讲，人的心智很像是一台电脑。

然而有一个重要的不同点。电脑会接受你所输入的一切。人的心智就不同了，事实上，与电脑完全相反。

心智有一个针对现有信息量的防御机制，它拒绝其所不能“运算”的信息。它只接受与其状态相符合的新的信息，把其他的一切都过滤掉。

你看到的是你想看到的

假设拿出两张抽象画，一张签上“施瓦兹”，另一张签上“毕加索”。然后请别人发表意见，你看到的将和你想看到的一样。

假设请两位持对立观点的人（比如，一位民主党人和一位共和党人）去阅读一篇有关争议话题的文章，然后问他们这篇文章是否改变了他们的观点。

你会发现，那位民主党人从这篇文章中找出支持自己的事实；而这位共和党人则在同一篇文章中找出支持相反观点的事实。他们的心智几乎没发生什么变化，**事实上，你看到的是你想看到的。**

假设把一瓶美国嘉露倒进一个空的法国勃艮地50年陈酿的空瓶里。然后缓缓斟入朋友面前的酒杯里，请他品尝。

你尝到的就是你想尝到的。

在盲测品酒会上，往往会觉得加利福尼亚产的品牌胜过法国的品牌。如果贴有标签再品尝，则不可能发生这种事。

你尝到的就是你想尝到的。

要不然，广告就没有任何存在的必要了。假如普通消费者都是理性而非感性的话，就不会有广告，至少不会像今天我们所知道的这样。

任何广告的首要目标就是提高人们的期望值。造成一种假象，即该产品或服务会产生你期望看到的奇迹。而且，转眼之间奇迹就出现了。

然而创造相反的期望，产品就会陷于困境。加布林格啤酒的上市广告就给人这种感觉：因属于减肥产品，口味不怎么样。

毫无疑问，广告发生了效果！

“你尝到的就是你想尝到的。”在我们写下这句话13年后，可口可乐公司推出了“新可乐（New Coke）”，结果造成了一场营销灾难。该公司自己的调研结果表明，试图“提升”现有产品口味的做法有多愚蠢。在盲测时，喜欢“新可乐”的人与喜欢老配方的人几乎是3∶1。但是，如果他们看见商标再喝时，喜欢“经典可口可乐”的人与喜欢“新可乐”的人之间的比例却超过了4∶1。

人们尝了那种啤酒之后，轻易地相信它的口味就是不好。你尝到的就是你想尝到的。

容量不足的容器

人类的心智不仅排斥与其现有知识或经验不相符合的信息，它也没有足够的知识或经验来处理这些信息。

在我们传播过度的社会中，人类的心智完全是一个容量不足的容器。

根据哈佛大学心理学家乔治·米勒（George A. Miller）博士的研究，普通人的心智不能同时处理七个以上的单位。这也就是为什么必须记牢的事项通常只有七个单位。七位数的电话码、世界七大奇观、七张牌的扑克游戏以及白雪公主与七个小矮人等。

随便找一个人，问他记得的某一品类的全部品牌名称，很少有人能说出七个以上的品牌名称。那已经是人们非常感兴趣的品类了。对兴趣度低的品类，一般消费者通常只能说出一两个品牌而已。

试着把十诫的十条都说出来，要是觉得太难，说一下癌症的七种危险信号如何？或者说说《圣经·

"魔力数字：七"是米勒文章的标题，刊登在《心理学报》1956年3月号上。米勒博士在文章中指出了一些著名的与数字七有关的事例，如音阶上的七个音符和一星期有七天等。

现如今，你必须记住报警电话、社会保险、电子邮件、传真号码以及各种信用卡上的密码。数字正在挤占文字的位置。

启示录》中的四位骑士?

有一家报纸做过调查,在100个美国人中,80%说不出美国总统内阁成员中任何一位的姓名。一位24岁的乐手说:“我觉得我甚至说不出副总统的名字来。”

如果我们心智容量不足,无法应对这类问题,那要如何去记住那些像兔子一样大量繁殖的品牌名称呢?

30年前,六大烟草公司向美国烟民销售的香烟只有17种不同的品牌,如今却达到了176种。

型号热席卷了各个产业。从汽车、啤酒,到照相机的伸缩镜头。底特律目前销售近300种不同型号的汽车,其样式和尺寸之多,使人瞠目结舌。Maverick、Monarch、Montego、Monza,等等,眼前的车是雪佛兰的Monza型,还是水星的Monza型?太混乱了。

为了应付这种复杂,人们学会了把一切加以简化。

当被问起你的子女的智力情况,你通常不会去列举他认识多少字、阅读理解力有多高或数学上的能力如何等等,而一般回答:“他现在上中学了”。

目前已有1 000万个以上的网站,25万个软件名称和大约400万个书籍名称。每年还要再增加7.7万个新书名(本书至少还算是个旧书名)。“Saturn”是美国唯一只有一个型号的汽车品牌,而且取得了巨大成功。

有好几年的时间,Saturn汽车经销商的平均销量超过了其他任何品牌的汽车经销商。那么,他们后来做了什么?你们不妨猜猜看。他们推出了一个尺寸更大的型号——“L”系列:“下一个来自Saturn的大家伙。”

这种对人、物、品牌的分类方法，不仅是管理事物的一种便利的方法，而且也是应对生活的复杂性的必需品。

产品阶梯

为了应付产品爆炸，人们学会了在心智上给产品和品牌分级。

要想直观一点，最好的办法也许是想象心智中有一个个的梯子。在梯子的每一阶上是一个品牌名称，而每个梯子代表某一类产品。

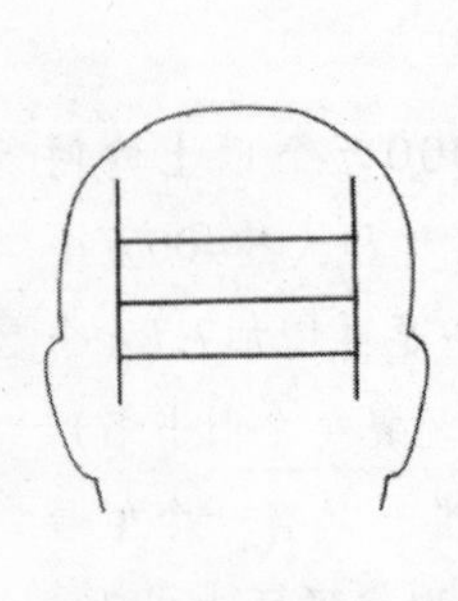

对于每一类产品，潜在客户的心智中差不多都有一个如图所示的梯子，市场领导者在最上一层，第二名处于第二层，第三名则处于第三层。各梯子的层数不一，最常见的为三层，七层则可能是最多了（七定律）。

有一类产品阶梯没有层级（如棺材）。人们根本不想去记住任何棺材品牌，尽管市场上有一个领导品牌：贝茨维尔（Batesville）。

有些梯子有很多层（七层就算多了），其余一些则没有几层。

一个竞争者如想增加市场份额，要么排挤掉上方的品牌（但这种做法通常行不通），要么把自己的品牌与其他公司的品牌关联起来。

然而，太多公司在发起营销广告计划时，都无视于竞争对手的地位。他们就像在真空中做广告，一旦发现自己劳而无功就感到失望。

如果心智阶梯上方的品牌地位牢固，又没有采取任何手段或定位策略时，往心智阶梯上方移动则非常困难。

一个广告主要想推出一个新的品类，就需要自己带一个新的阶梯来。这也很困难，特别是这个新品类不能参照老品类加以定位时。心智不会接受新的、不同的事物，除非其与旧的事物有所关联。

这就解释了这样一个现象，**你有了全新的产品后，告诉潜在顾客该产品不是什么，往往要比告诉他们该产品是什么还管用。**

例如，第一辆汽车的问世，当时称之为“不用马拉的”车，这一名称便于大众参考当时已有的交通工具为汽车这一概念定位。

像“场外”下注、“无铅”汽油、“无内胎”轮胎这样的名称都表明，新概念应该参照老概念进行定位。

“关联”定位法

在如今的市场上，竞争者的定位和你自己的定位同等重要，有时甚至更为重要。在定位时代早期，安飞士的广告是著名的成功案例。

作为“关联”定位的典型案例，安飞士广告将永垂营销史，它是参照市场领导者而建立的定位。

“安飞士在租车行业只不过是第二，为什么还找我们？我们工作更努力。”

安飞士连续赔本13年。但它自从承认自己排行第二以来，就开始

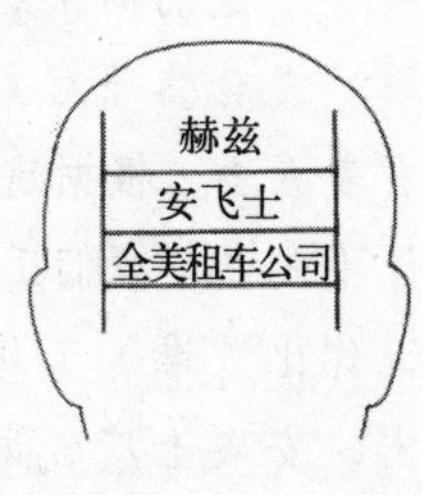

这是典型的潜在客户心智中的租车业阶梯。即使选择安飞士和全美公司租车的顾客，心智中的这个阶梯也是一样的。人们在安飞士公司租车，不是因为该公司在心智里的租车业阶梯中位居第一，而是不在意它并非老大的事实。“为什么找我们？我们工作更努力。”

盈利了。

第一年安飞士赚了120万美元，第二年260万美元，第三年500万美元。然后这家公司卖给了国际电话电报公司（ITT）。

安飞士之所以能有不菲的收益，是因为他们承认了赫兹的位置，而放弃与其正面冲突。

为了进一步了解安飞士的成功原因，让我们深入潜在顾客的心智，假想我们能看到标有“租车公司”的品类阶梯。

在阶梯的每一层上都有一个品牌名称，赫兹在最高一层，安飞士在第二，而全美租车公司则在第三。

许多营销人员都误解了安飞士的故事，他们认为该公司的成功是工作更加努力。

完全不对。安飞士之所以成功，是因为它关联了赫兹（如果更加努力是成功的秘诀，哈罗德·史塔生（Harold Stassen）早就做过好几任总统了）。

一件事情说明比较性广告远没有被广告界所接受。《时代》杂志起初拒绝使用“我们工作更努力”

另一方面，赫兹靠提醒我们谁是第一而获得很好发展。“有了赫兹，无须他选（There’s Hertz and there’s not exactly）”。

就在这本《定位》出版后不久，联邦贸易委员会请我们去首都华盛顿，对他们尚未颁布的有关禁止使用“没有参照对象之比较”的法规发表看法。根据这项拟法中的法规，你不能说“我们工作更努力”，只能说你比“谁”工作更努力。我们指出，安飞士广告词的妙处在于读者会想到“比赫兹（更努力）”。最好的广告标题不要把话说尽。最好的标题总是能让读者说出某个词或短语使意思更完整。正是这一点使广告“引人入胜”。

(We try harder) 这句话，认为对赫兹太有挑衅性了，其他杂志也跟着这样做。

广告公司的客户经理乱了方寸，同意把这句话改为“我们拼命地努力”(We try damned hard，这句脏话也许没有比较性用语那么容易冒犯别人)。

直到那份广告被取消后，《时代》杂志才改变了主意，同意使用最初的版本（那位客户经理却被炒了鱿鱼）。

“关联”定位是一种典型的定位方法。如果一家公司不是第一，则他一定要尽早占据第二的位置，那可不是一件轻松的任务。

霍尼韦尔公司已经退出了计算机业。惠普公司如今成了第二大计算机公司（但没人知道这一点，这是惠普的错）。

但这还是能够做到的。安飞士在租车业、汉堡王在快餐业，霍尼韦尔公司在计算机业，都是这样做的。

“非可乐”定位法

另一个典型的定位战略是悄悄爬上由别人占据的梯子，就像七喜公司那样。这个主意的高明之处只有在你了解“可口可乐”和“百事可乐”在消费者心智中占据的巨大份额之后才能体会到。在美国，人们消费的每三份软饮料里就有两份是可乐类饮料。

“非可乐”定位法通过把产品与已经占据潜在客户心智的东西联系到一起，把“七喜”确定为可以替代可乐的一种饮料（可乐类阶梯可以看做是这样分的：第一层是可口可乐，第二层是百事可乐，第三层就是七喜）。

采取了非可乐定位法，七喜的销量果然陡升。自从1968年非可乐宣传启动以来，七喜公司每年的净销售额从8 770万美元增加到了1.9亿以上。如今，七喜成了世界上第三大软饮料。

为了证明定位概念的普适性，麦考米克通信公司买下了音乐电台WLKW（这家设在罗得岛州普罗维登斯市的电台乏善可陈），并且把它变成了当地第一大音乐电台。他们的主题是：WLKW是一个非摇滚音乐台。

七喜打的是两面出击的战争。与它对阵的一方是可乐类饮料，另一方是雪碧（Sprite）。非可乐之战成果辉煌，但是它最终输掉了与雪碧的战役，后者如今是柠檬－青柠类饮料的领导品牌。七喜犯了许多错误，包括广告内容先后不一致，品牌延伸（还记得金七喜吧？）以及在非可乐宣传中忽视了一件显而易见的事情。他们告诉了软饮料消费者七喜不是什么，他们还应告诉消费者七喜是什么。

要想找到一个独特的位置，你必须放弃传统的逻辑思维。传统逻辑认为，你要在你自身或你的产品当中找到定位观念。

不对。**你必须做的是到潜在客户的心智中寻找。**

你在七喜饮料罐里是找不到“非可乐”定位理念的；但你会在喝可乐的人的心智中找到它。

忘记成功之道陷阱

最为重要的是，成功的定位需要始终如一，必须坚持数年如一日。

然而，每当一家公司打赢了一场漂亮的定位战后，它往往会掉进我们所谓的FWMTS陷阱：

“忘记成功之道。”(Forgot what made them successful, FWMTS.)

安飞士在卖给ITT公司后不久，认为自己再也不能满足于做第二了。于是它打出广告说：“安飞士要当第一。”(Avis is going to be NO.1.)

那是在宣传你的愿望。从心理学上说，这是错的；从战略角度说，这也是错的。

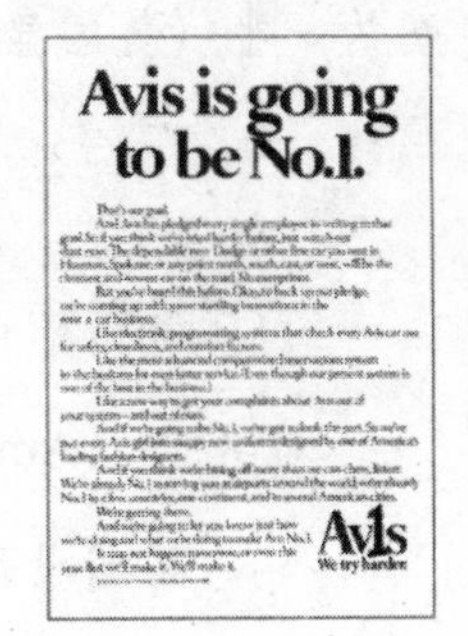

潜在客户看到这样的广告时会想：“不，你才不是呢。”

安飞士公司除非能找到赫兹公司的弱点并且加以利用，否则它注定当不了第一。

此外，原先的广告不仅在潜在客户心智阶梯上把排名第二的安飞士同排名第一的赫兹联系起来，还充分利用了人们与生俱来的对弱者的同情心。

新的广告宣传纯粹是老一套的自吹自擂而已。

要诚实。在过去的20年里，安飞士公司搞过许多形式不同的广告宣传，如：“奇才安飞士”(The wizard of Avis)、“你用不着跑遍整个机场”(You don’t have to run through airports)等。

可是，如果有人提到安飞士，脑子里冒出来的主要印象是什么？

当然是“安飞士只位居第二”等。然而，在过去的几年里，安飞士一向忽视的是，它在人们心智里留下的只是这个概念。如果有一天全美租车公司的销量超过了它，它才会认识到失去第二位这一位置的价值。

这幅广告是七喜公司近年来采用的宣传方法先后不一致的典型例子。七喜如今的市场份额只是位居第一的雪碧的一半（美国显然不是人人喝七喜）。

你如果想现在成功，就不能忽视竞争对手的地位，也不可离开自己的位置。琼·狄第恩（Joan Didion）不是有这样的不朽名言吗，“球在哪儿，就在哪儿打。”

另一个落入FWMTS陷阱的广告主是七喜公司。它通过“非可乐”宣传成功地把七喜饮料定位为可口可乐和百事可乐的替代饮料。但是，它现在的广告却称“美国人人喝七喜（America is turning 7-Up）。”

美国没有这样的事。七喜也是在宣传自己的心愿，这和“安飞士要当第一”的口号在概念上没什么两样。而且起不了任何作用。

POSITIONING

第5章

你不能由此及彼

有这么个老故事，是关于一个旅行者向一位农夫打听怎么去附近的一个镇子。

农夫回答说："顺着这条路走一公里，见到岔路时往左拐。不行，这样到不了。"

"你先掉过头来开半公里，见到'不许前行'的标志后往右拐，"农夫又说。"不，那样也到不了。"他想了好长时间后，看着满面疑惑的旅行者说："要知道，年轻人，从这儿是到不了那儿的！"

许多人、政客和产品的命运恰恰也是这样的。他们恰好处在一个"无法由此及彼"的位置上。

美国不是人人喝七喜。安飞士当不了第一。愿望不会成为现实。大量做广告也无济于事。

"我能行"精神不死

从许多方面来说，美国在越南的经历是美国人"我能行"精神的一个典型例子。只要足够努力，任何事情都可能办到。但是，无论我们怎样努力，无论我们投入多少兵力和金钱，这个问题都无法通过外力解决。

我们无法由此及彼。

尽管有好几百个类似越战的反例，我们还是生活在"我能行"的状态里。然而，不管你如何努力，许多事情还是不可能做到的。

例如，一位55岁的副总裁当不成总裁。等首席执行官过几年到了65岁退休时，董事会将任命一位48岁的接班人。

这位55岁的副总裁已经没有当总裁的机会了。要想得到这个提升机会，他必须比现任总裁至少年轻10岁才行。

在抢占心智的战争中，没有竞争机会的产品往往也会落得个相同的下场。

如今，公司可以推出一个了不起的产品、拥有一支了不起的销售队伍、发起一次了不起的广告宣传活动，但是，如果它恰好处在一个“无法由此及彼”的位置上，照样会一败涂地的，花再多的钱也无济于事。

48岁也不行了。眼下，高科技公司的首席执行官们都只有二三十岁。

在这方面，最好的例子莫过于RCA公司在计算机业的遭遇了。

不祥之兆

1969年我们为《工业营销》(*Industrial Marketing*）杂志写了一篇文章，题目为“定位：同质化时代的竞争之道”，并且把RCA公司当成一个主要例子来谈。我们在文章里用了一些新名词，并且做了一些预测，依据的都是一种叫做定位的规则（这是“定位”这个词第一回用来描述这样一个过程：即如何

有史以来第一篇有关定位的文章发表在《工业营销》杂志1969年7月号上。即使到现在还有人问我们：“怎样才能把定位方法应用到B2B产品而非消费品上去呢？”我们对他们说，一开始定位只是个工业概念，他们竟然不信。为什么？这和人们心智中的观念不一致，因为一般人认为所有好的广告理念都应该从消费品领域产生。这里的教训是：不要用事实来挑战认知，赢的总是认知。

应付人们心智中已经被一个规模更大、知名度更高的竞争对手占据的地位）。

其中的一个预测惊人的准确。我们写道，就计算机制造业而言，“任何公司向IBM公司业已占据的定位直接发起挑战都不可能获得成功。”

这句话里的关键词当然是“直接”。同市场中居领先地位的对手展开竞争固然有取胜的可能（我们在文章里提出了几个方法），但根据定位规则，“直接”取胜是不行的。

这句话在当时引起了一些异议。何方神圣竟然敢说像RCA这样财力雄厚的公司别想在计算机业有出头之日？

这是RCA在《华尔街日报》（*Wall Street Journal*）和其他商业刊物上打出的与IBM正面交锋的广告。许多年来，有人认为定位广告就是在广告标题中提到竞争对手。这未必全对。定位与提不提对手毫无关系。它必须做到的是，在搞营销活动之前，先“考虑”竞争双方的强势与弱势。

于是，到了1970年，RCA公司向计算机业全速进军。商业刊物上连篇累牍地报道了这件事。

“RCA向龙头老大万炮齐发，”《商业周刊》（*Business Weekly*）1970年9月19日刊登的一篇文章的标题如是说。

“RCA与IBM正面交锋，”《财富》杂志1970年10月号一则新闻的标题如是说。

“RCA计算机大促销是对IBM的当头一棒，”《广告时代》1970年

通用电气公司的杰克·韦尔奇几乎全盘否定了“我能行”精神。他的观点是：要么数一数二，要么就出局。

10月26日刊登的一篇报道用的是这样的标题。

正是为了不使世人对公司的意图产生误会，该公司董事长兼总裁罗伯特·萨尔诺夫（Robert W. Sarnoff）做出了一个预测，说是到1970年年底，RCA在计算机业“稳居第二”。萨尔诺夫先生说，他的公司这次投入的资金“远远超过了以往为开拓任何业务（包括彩电）的投入，以期在计算机业取得一个稳固的地位，”并指出他们的目标是在20世纪70年代初占据一个利润丰厚的地位。

“我能行”精神行不通

不到一年的时间，灭顶之灾降临了。“RCA遭受了2.5亿美元的灾难性亏损”，《商业周刊》1971年9月25日刊登的一篇报道的标题如是说。

那是好大一笔钱。有人设想，如果把那么多钱全换成百元大钞，码在洛克菲勒中心的人行道上，那摞钱的高度能超过萨尔诺夫在RCA大楼53层的办公室的窗口。

那是个计算机制造商焦头烂额的时代。由于公司的计算机业务多年来总是不能盈利，通用电气终于在1970年5月放弃了它，把烂摊子卖给了霍尼韦尔公司。

看到两家主要的计算机制造商相继无功而退，我们忍不住要说“我早就告诉过你”。于是，在1971

通用电气和RCA停止生产计算机之后，我们在《工业营销》杂志1971年11月号上发表了一篇文章。该文为定位理论点燃了星星之火，人们一再要求重印，并且要我们提供更多信息。

年，我们又写了“重提定位：通用电气和RCA为什么不听劝告？”（该文发表在《工业营销》1971年11月刊上）。

那么，面对IBM这样的对手，如何展开广告和营销活动呢？这两篇关于定位的文章提供了一些建议。

如何与IBM之类的对手抗衡

Burroughs
Control Data
GE
Honeywell
NCR
RCA
Univac

这是七家倒霉透顶的计算机公司，它们在大型主机电脑方面与IBM展开较量。哪家做得最好？一家也没有。真正的赢家和最终的世界第二是数据设备公司（Digital Equipment Corp, DEC），DEC采用了阿米莉亚·埃尔哈特的方法。他们发明了小型主机电脑，在这个新品类中成为第一。

有几年，我们一直在为IBM工作，构想如何用一个更好的定位替换“主机电脑”的概念。我们的建议是采用“集成电脑服务”作为其定位。还有谁能更好地把各种部件组装到一起来呢？

计算机业经常被比成是“白雪公主和七个小矮人”。白雪公主已经在营销史上确立了无可匹敌的地位。

IBM在计算机业占有60%的份额，而那些矮人当中最大的一个所占份额还不到10%。

如何与拥有像IBM一样地位的公司抗衡？

首先，你必须承认现实。其次，计算机领域里太多人都想做的事情，你不要去做，即不要像IBM那样做。

要想同IBM已经确立的地位直接发起挑战，根本没有成功的指望。历史证明这是一个真理。

该领域里的小公司可能认识到了这一点，而那些大公司却似乎觉得能够利用自己的强大地位与IBM展开竞争。那么，听听一位垂头丧气的经理是怎样说的吧："我们根本没有足够的钱去这样做。"你无法由此及彼。

有句老话说"以毒攻毒。"已故的霍华德·戈西奇（Howard Gossage）却常说："那是愚蠢的做法。你得水来土掩。"

IBM的竞争对手可以采取一个更好的战略，那就是利用它们在潜在客户的心智里已经占据的位置，将其与计算机业中的一个新位置挂上钩。例如，RCA公司原本应该如何为其计算机产品定位？

我们在1969年写的一篇文章里提出了一个建议，"RCA公司在通信方面居领先地位。假如它把某种计算机产品的定位与它的通信业务联系起来，就能利用现有的地位。尽管它这样做会放弃许多业务，却能建立一个强大的滩头阵地。"

许多公司一生只有一次机会。路选对了，就能获得巨大成功；路走错了，就会力竭而亡。

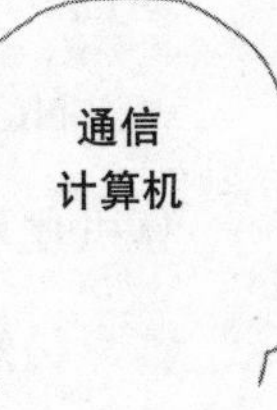

RCA公司走错了路，结果只能在通用电气公司里充当一个二流品牌。它原可以选择通信业这条路。具有讽刺意味的是，通信业成了所有类型的计算机公司得以真正发展的市场。目前，IBM、太阳微系统和其他一些计算机公司都把大部分的营销资源投入到开发互联网中，因为互联网是终极的通信网络。

NCR公司没有抵挡住诱惑，与IBM正面作战，最后几乎一蹶不振。如今，它又开始重操"旧业"了。

以NCR公司为例，该公司在现金出纳机方面拥有一个强大的地位。

NCR公司集中精力开发零售数据记录系统（你也可以称之为计算机化现金出纳机），从而在计算机业务上取得了长足的进步。

当然，在毫无希望的情况下，要想找到一个恰当的位置往往是白费工夫。还不如把精力集中在公司业务的其他方面。查理·布朗说过："问题再大，也可以躲过。"

事实上，彻底的失败往往胜过勉强的成功。

失败者往往认为问题的关键是更加努力。一家处于败势的公司即使再努力也不会有多大收效。

问题不在于"做什么"，而在于"何时做"。要想通过额外的努力去获得较大的收效，就应当尽早建立产品的领导地位，这才是弥足珍贵的。

有了它，任何事情都是可能实现的。没有它，事情确实会变得很难办（就像爱斯基摩人说的那样，领头的狗才能欣赏到一路的景象）。

通用电气公司的史密斯和琼斯

举个例子也许能有助于理解这个原则。

两位男士一心想坐通用电气公司的头把交椅，一位叫史密斯，另一位叫琼斯。

史密斯是一位典型的"我能行"式公司高管。公司任命他主管计算机业务，他兴致勃勃地接受了。

相反，琼斯却很现实。他知道通用电气公司进入计算机业已为时过晚，无法在其中占据主导地位。如今，即使能赶上IBM，代价也太大。

由于史密斯没能使计算机业务有所转机，琼斯便有了参与的机会。他建议通用电气退出计算机业，最后公司把这个业务部门卖给了霍尼韦尔公司。

这就是雷金纳德·琼斯最终当上通用电气公司首席执行官的原因之一。斯坦福·史密斯则进入国际纸业公司。

我们在这个故事里没有提到的一点是：斯坦福·史密斯当时是通用电气公司工业广告与宣传部的负责人，该部是我们两人起步的地方。我们非常熟悉斯坦福·史密斯，他也许称得上是我们所知道的最出色的营销专家。如果史密斯无法挽救通用电气的计算机业务，谁也挽救不了。这件事给我们留下了深刻的印象。你常常会发现自己处于那种“无法由此及彼”的境地。

总的来说，计算机业中这种层级现象在所有的行业几乎都能看到。每个行业总是有一个强大的胜者和一群失败者。计算机业有IBM，复印机业有施乐，汽车制造业则是有通用汽车。

定位在计算机业的作用适用于其他行业。

在计算机业管用的知识，到了汽车业或可乐业也能派上用场。

反之亦然。

POSITIONING

第6章

领导者的定位

Campbell's
Carnation
Coca-Cola
Colgate
Crisco
Del Monte
Eveready
Gillette
Gold Medal
Goodyear
Hammermill
Hershey's
Ivory
Kellogg's
Kodak
Life Savers
Lipton
Manhattan
Nabisco
Palmolive
Price Albert
Sherwin-Williams
Singer
Swift
Wrigley's

左图都是1923年在25个品类中位居第一的品牌。到了77年后的世纪之交，这些品牌中只有3个丢掉了领先的地位：永备（Eveready）、Manhattan和棕榄（Palmolive）。这就是位居第一的优势所在。只有争得第一才是最有效的营销战略。

安飞士和七喜这样的公司找到了针对市场领导者的替代定位。

但是，大多数公司无论成功与否都不想当追随者，都想当赫兹和可口可乐那样的领导者。

可是怎么能成为领导者呢？这其实很简单。还记得查尔斯·林德伯格和尼尔·阿姆特朗吗？

只需你抢先成为第一。

建立领导地位

历史表明，第一个进入人们心智的品牌所占据的长期市场份额通常是第二个品牌的2倍、第三个品牌的4倍。而且，这个比例不会轻易改变。

我们来回顾一下百事可乐和可口可乐之间的那场激烈的营销战。百事可乐的营销活动连年获得成功，但在可乐业大比拼中领先的又是谁呢？当然是可口可乐啦。可口可乐每销售六瓶饮料，百事最多只能销售四瓶。

事实就是如此。在任何品类中，第一品牌的销量总是大大超过排名第二的品牌。赫兹超过安飞士，通用汽车超过福特，固特异超过凡世通（Fire Stone），麦当劳超过汉堡王，通用电气超过西屋电气（Westhouse Electric）。

许多营销专家没有看到位居第一的巨大优势，过分地把柯达、IBM和可口可乐等公司的成就归功于“营销上的精明”。

赫兹情况不错，通用汽车的地位岌岌可危，凡世通举步维艰，西屋电气已成明日黄花。竞争变得越来越残酷了。

领导者的失败

然而，一旦处于不利的地位，一旦在营销中领先的公司在新品类中没有争得第一，该新产品通常就会败在别人手下。

可口可乐还在尝试。眼下，它正试图用自己生产的PowerAde运动饮料取代佳得乐（Gatorade）。谁将赢得这场战斗？当然是佳得乐。

与佩珀博士（Dr.Pepper）公司相比，可口可乐是一家巨型公司。然而，当可口可乐推出竞争性产品Mr.Pibb时，这家总部设在亚特兰大的巨无霸竟然没有对佩珀博士公司的销量产生多大影响。Mr.Pibb仍然是一个可怜的二流品牌。佩珀博士每销售六瓶饮料，可口可乐最多只能卖掉一瓶Mr.Pibb。

IBM的规模比施乐大得多，而且拥有大量的技术、人力和财力资源。当IBM推出一系列复印机与施乐竞争时，情况发生了多大变化呢？

变化不大，在复印机市场，施乐仍然保持着10倍于IBM的市场份额。

是什么造就了领导者？当然是跟随者。领导者不应把竞争对手赶出市场。它需要它们来形成一个品类。宝丽莱犯了一连串的错误，控告柯达并且把它赶出了一次成像照相机市场。结果两败俱伤。

领导地位是最好的“差异化因素”，是你的品牌获得成功的保障。

据说，柯达下属的大型公司Rochester发展一次成像照相业务，是为了彻底打败宝丽莱。结果远非如此，宝丽莱的业务实际上得以扩大，而柯达却只取得了很小的市场份额，代价却是损失了相当大的传统照相机业务。

所有的实质性优势几乎都集中到了领先者的手里。如果没有任何强有力的理由，消费者很可能在下一次购物时仍然选择他们上一次购物时所选的品牌，商店也很可能储存那些领导品牌的商品。

那些规模更大，业绩更好的公司一般都挑选好学校的一流毕业生，事实上，来这些公司求职的人数和资历通常也胜过其他公司。

几乎在每一步上，领导品牌都具有优势。

例如，你在坐飞机时会发现，航空公司在飞机上往往只提供一种牌子的可乐、一种牌子的汽水、一种牌子的啤酒，等等。

下一次坐飞机时，不妨再观察一下这三种品牌是否依然是可口可乐、Canada Dry和百威，它们分别是可乐、汽水和啤酒的领导品牌。

不稳定的平等

在某些品类中确实会出现两个领导品牌并驾齐驱的情况。

但这些品类也确实是在本质上就不稳定的。你迟早会看到其中一个品牌占了上风，最终形成稳定的5：3或2：1的局面。

消费者就像一群小鸡。他们更喜欢一种人人明白并且接受的等级制。

赫兹与安飞士。

哈佛大学与耶鲁大学。

麦当劳与汉堡王。

如果两个品牌地位相当，过不几年，其中的一个很可能会占上风并且在市场上独领风骚。

例如，在1925～1930年之间，福特汽车与雪佛兰在一场正面交锋中难分高下。到了1931年，雪佛兰占了上风。在以后的年月里，包括大萧条和历次战争所造成的经济混乱期间，雪佛兰只有四次屈居第二。

这个想法后来使我们得出了“二元法则”。在每个品类中，最终只会剩下两个品牌主导整个品类。如：雪佛兰和福特、可口可乐和百事可乐、百威和米勒、金霸王（Duracell）和劲量（Energizer）、苏富比（Sotheby’s）和佳士得（Christie’s）㊀、上帝和魔鬼。

应该付出额外努力的时机显然是局势不明的时候，即双方都不占有明显优势的时候。只用一年时间赢得的销售领先，往往能维持好几十年。

喷气式飞机需要用110%的额定功率才能使轮子离开地面。但是，

㊀ 两大拍卖行。——译者注

当它达到1万米高度时，驾驶员把功率降低到额定的70%，飞机仍能以每小时965公里的速度飞行。

保持领先的战略

问：体重300多公斤的大猩猩在什么地方睡觉？

答：爱在哪儿睡就在哪儿睡。

领导者可以为所欲为。在短时期内，领导者的地位几乎坚不可摧。光凭惯性就能维持下去。（摔跤手们有句老话：“只要压在对手上面就输不了。”）

Microsoft

微软就是这么做的，而且他们确实听到联邦政府发话了。

对于通用汽车、宝洁和如今在世界上居于领导地位的公司来说，根本用不着担心今年或明年的事。它们的担心是远期的，5年后情况会怎么样？10年以后呢？

领导企业应当利用其短期灵活性来确保长期稳定的未来。事实上，市场领导者一般都是在人们心智里建立了新的品类阶梯、并且把自家的品牌牢牢地固定在阶梯最上一层的公司。一旦做到了这一点，它还应该做什么、不做什么？

什么不该做

只要公司拥有第一的位置，就再没有必要去做广告高呼：“我们是第一！”

宣传品类的价值要好得多。不知诸位注意到了没有，IBM的广告通常都对竞争闭口不提，专门宣传计算机品类的价值，而且是所有类型的计算机，不只是公司自己生产的类型。

在广告中说“我们是第一”为什么不是个好主意呢？

这是出于心理上的考虑。你的潜在客户已经知道你是第一，这时就会想：你为什么非得说出来呢。要不然就是他们不知道你是第一。如果不知道，那又是为什么？

也许你是用你自己的而不是潜在顾客的标准来确定你的领导地位的。不幸的是，这样做行不通。

我们重新考虑了领导者不该做什么这个问题。你总有新的潜在客户进入市场，其中有些不知道什么品牌是第一品牌。所以，像喜力啤酒这样的领导者很可能要经常做广告宣传其领导地位。不幸的是，喜力弃用了“美国进口啤酒第一品牌”这句话，而最后把领导地位拱手让给了科罗娜（Corona Extra）。总是应该对一部分消费者宣传你的领导地位。

不能用自己的标准来建立领导地位，如：“密西西比东部最畅销的、价格低于1 000美元的高保真音响。”

必须用潜在顾客的标准来确立领导地位。

应该同时运用以下两个基本战略。这两个战略看上去自相矛盾，但实际上不是。

不断重复

“正宗货”（The real thing），可口可乐这种堪称经典的广告战略适用于任何一个领导者。

我们不明白可口可乐公司为什么不继续用“正宗货”这句话了。“永远的可口（Always Coke）”只是一厢情愿的想法。而目前的主题“享受可口可乐（Coca-Cola Enjoy）”太孩子气。

每个最先进入人们心智的产品都会被消费者看做是正宗货：IBM的主机电脑、亨氏的番茄沙司、固特异的轮胎、当然还有可口可乐。你的产品一旦被看做正宗货，就等于把所有其他品牌都重新定位成仿效品了。“正宗货”也许是人们想出来的最有力、最能打动人的广告语，但是可口可乐公司却用得不多，实在可惜。

建立领导地位的主要因素是抢先进入人们的心智。维护领导地位的主要因素则是强化最初的概念，这是评价一切跟随者的标准。反过来说，其他产品都是“正宗货”的仿效品。

这和说“我们是第一”不一样，最大的品牌可能销量最大，因为它的价格低，能在更多的商店里买到等。

但是，“正宗货”就像初恋，永远在潜在客户的心目中占据着一个特殊的位置。

“这是我们发明的。”这正是施乐复印机、宝丽莱照相机和芝宝（Zippo）打火机背后的强大动力。

抓住每一个机会

这一点有时很难做到。不幸的是，领导者往往觉得自己的广告读起来很亲切，觉得自己不会出错。于是，在看到竞争对手推出新产品或新广告时，他们往往会对对手的进步嗤之以鼻。

领导者该做的恰恰相反，应该抓住每一个机会。这就是说，应该克制自己的傲气。一旦发现哪种新产品有市场前景就马上跟进推出。然而更多的情况是，等领导者醒悟过来已为时过晚。

当有人向汽车业推销汪克尔（Wankel）发动机时，通用汽车公司花5 000万美元买下了它。这些钱白花了吗？未必。通用汽车很可能认为，花这5 000万买下汪克尔发动机的生产许可，对于保护价值660亿美元的业务是件便宜事（没错，通用汽车在1979年的销售额是66 311 200 000美元）。

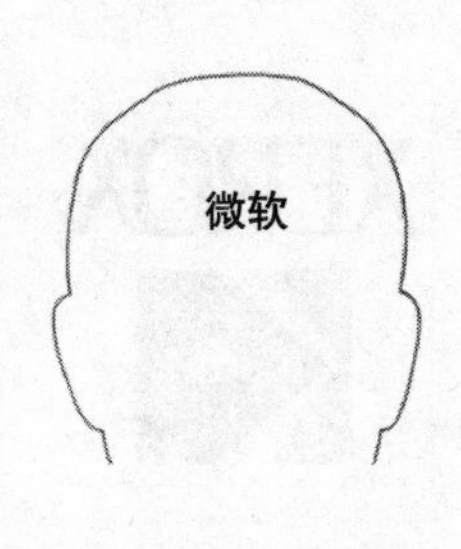

领导者应该抓住机会，就像微软抓住Bob软件的机会那样，这种软件是为初级计算机用户设计的。它虽然没有成功，可是假如有个竞争对手也做过类似的努力并且成功了，情况会怎么样？我们的经验是，大多数领导者都患有企业动脉硬化症。它们过分在意的是，如果一项新产品失败了媒体会说什么。岂不知，如果你承认自己犯了错，媒体是最富有同情心的。想想当年可口可乐公司承认“新可乐”是个失误后，媒体给了它多少正面报道。

假设汪克尔发动机成了未来的汽车发动机，而福特或克莱斯勒首先买下了它的生产许可，通用汽车现在的处境会如何？

柯达和3M这两家公司在办公复印机业务上，就处于这样的境地。这两家在涂膜纸复印机上领先的公司，当年有机会买下卡尔森的静电复印技术的使用权，可是它们拒绝这样做。

“既然用涂膜纸复印每张只需一分五厘钱，没人会花五分钱用普通纸复印东西。”此话有理。但是，花这笔钱的本质是保护自己免遭意外。

而意外情况的确出现了。哈洛伊德（Haloid）公司趁机买下了

当然，施乐的规模如今比柯达大多了，因为后者错误地涉足于制药和许多其他领域。后来，我们把这个想法发展成了“聚焦”的概念。

在过去的20年里，施乐在计算机业务上损失了好几十亿美元，这又是一个因失去焦点而付出高昂代价的教训。

卡尔森的专利，如今，这家公司（先是叫哈洛瓦-施乐，后来改为施乐）成了一家价值50亿美元的大企业，规模超过了3M，离柯达仅一步之遥。《财富》杂志称施乐914型普通纸复印机“可能是美国有史以来生产的利润最大的产品。”

施乐此后也有这样的举动吗？

几乎没有。914型复印机获得令人瞩目的成功之后，施乐错误不断。最大的失败则是在计算机业务上。

来自产品的实力

“只有在多次获得办公复印机式的成功之后，”施乐董事长在该公司进行多样化经营时曾说，“我们才有理由说，本公司具有可以依赖的实力。”

这正是领先者犯的典型错误。错认为自己的产品实力产生于企业的实力。

事实恰好相反。企业的实力来自产品的实力，来自产品在潜在客户心智中所占据的定位。

可口可乐有实力。可口可乐公司仅仅是那一实力的代表。

一旦离开了可乐业，可口可乐公司只能加倍努力才能获得那种实力，要么第一个打入消费者的心智，要么就是建立一个强大的替代性定位，或者是给已经领先的对手重新定位。

所以，可口可乐公司的Mr.Pibb只能屈居佩珀博士之后，而可口可乐公司的全部实力也于事无补。

施乐也同样如此。实力取决于施乐在客户心智里所拥有的定位。施乐意味着大型复印机。施乐公司之所以在复印机方面拥有这样的定位，是因为它第一个进入人们的心智，并且通过大规模的营销活动充分开发、利用了这一定位。

然而在计算机、办公室复印机、文字处理器和其他产品方面，施乐是从零开始的。它显然想在其他领域里再现其复印机的成功，但是它似乎忘记了914型复印机成功的一个基本因素，那就是它第一个飞越了普通纸复印机的海洋。

我们为施乐工作了近两年，试图使他们把重点放在办公输出设备（如复印机、打印机等）而不是输入设备（如计算机）上。具体而言，我们试图使他们成为第一个推出台式激光打印机的公司。不幸的是，他们将先机让给了惠普。

迅速回应

一旦竞争对手推出了一个十分新颖的概念，不可一世的美国管理人员的反应通常会是：

“等等看吧。”

然而，要想使拦截行动行之有

另一个典型的拦截行动是吉列公司在一次性剃须刀上战胜BIC公司的例子，它推出的是“好消息（Good News）”牌一次性双刃剃须刀。

效，时间是关键。你得在新产品还没有在潜在客户的心智里扎根之前就主动去拦截它。

当年Datril企图对泰诺发起价格战时，强生公司立刻拦截对方的进攻。百时美施贵宝还没有开始为Datril的降价投放广告，强生就降低了“泰诺”的价格。

结果：强生公司击退了对手的进攻，使布利斯特-麦尔斯（Bristol-Myers）公司在推出Datril时蒙受了巨大的损失，导致后者在这方面所做的一切努力都付诸东流。

营销战中的拦截行动与帆船比赛中的拦截战术差别不大：绝不要让对手摆脱你的阻拦，进入开阔水面，你无法预测以后的结果，也根本不知道之后的风向。

领导者只要拦截住对手的行动，就能永远走在前面，无论风向如何。

用多品牌拦截对手

泰诺是个特殊的例子，因为大多数领导者采用新牌子来阻截对手的行动。

这就是宝洁公司经典的“多品牌”战略，称它为多品牌战略可能用词不当，实际上，它是一种单一定位战略。

Gillette
Trac II
Atra
Good News!
Sensor
Mach 3

多品牌会比单品牌拥有更多的市场份额。（吉列剃须刀的多个品牌共占据了60%的市场份额。）

每一种品牌都有一个独特的定位，以便在潜在客户的心智里占据一定的位置。年复一年，产品更迭不断，公司不再花气力去改变其定位，而使用层出不穷的新产品反映技术的发展和口味的变更。

换句话说，宝洁公司认识到，改变既定定位是难上加难的事。既然有了现成的定位，为何要去改变它？从长远来看，推出新品牌可能代价更低、效果更好，即使你最终不得不彻底清除一个现有的老品牌。

象牙（Ivory）过去是一种肥皂的品牌，现在仍然是。当高效洗衣粉充斥市场的时候，该公司很可能想赶紧推出象牙牌洗衣粉，但这将意味着改变象牙品牌在潜在客户心智中的定位。

汰渍可能是一个好得多的对策。如今，新洗衣粉有一个与之相称的名字，而且获得了巨大的成功。

但当宝洁公司推出一种洗碗剂时，却没有给它起名为汰渍，而是叫Cascade。

宝洁的每一个居领先地位的品牌都有各自的名号：Joy、佳洁士、海飞丝、Sure、Bounty、帮宝适、彗星（Comet）、Charmin和Duncan Hines，而不是在原先的名称上加

在多品牌战略上最杰出的案例之一是丰田公司推出的“雷克萨斯（Lexus）”品牌。他们没有把该产品称为“超级丰田”或“高级丰田”，而是给这种豪华丰田车起了个不同的品牌名。

多年来，宝洁公司一直受到我们的推崇，但是好景不长。他们在每一种新开发的品类中推出独立的品牌。可惜，如今他们不这样做了。他们陷入了传统的品牌延伸思维方式。比如，他们推出了50多种佳洁士牌的牙膏。难怪最近佳洁士把领导地位拱手让给了高露洁。

上“复方”、“高级”或“超级”之类的字样。

所以说，多品牌战略实际上就是单一定位战略，以不变应万变的战略。

象牙畅销了99年。

用更宽泛的名称拦截对手

什么会让领导者失去领导地位？当然是变化。

纽约中央铁路公司在20世纪20年代不仅是铁路业的龙头老大，而且是蓝筹股票中最火的。经过几次兼并后，这家如今叫做宾州中央公司的企业元气大伤，几乎看不到一丝当年的辉煌。

相反，美国航空公司却蒸蒸日上。

假如当年纽约中央铁路公司采取拦截行动，应在竞争刚开始时成立一家航空公司。

“什么？你要我们开一家航空公司，抢我们铁路的饭碗？除非让我们去死。”

纯粹的拦截行动往往很难在公司内部得到支持。管理层经常把新产品或新型服务看成是竞争对手，而不是发展机遇。

有时，改一下名字就能弥合这两者之间的距离。你可以起一个宽泛的名称，从而使公司转变思想。

发行了50年的《销售管理》杂志最近更名为《销售管理与营销》，以便涵盖迅速发展的营销思想。在今后的某一天，该杂志可能甩掉包袱，再次更名为《营销管理》。

从哈洛伊德到哈洛伊德-施乐再到施乐，这就是通常的模式。

你肯定知道柯达公司起名的经过：从伊士曼到伊士曼—柯达再到柯达，对不对？

可是，它们还没有把包袱甩掉，因为公司的官方名称仍然叫伊士曼—柯达。

几年前，直邮协会更名为直邮—营销协会，这等于认可了这样一个事实：直邮只是公司开展直接营销的方法之一。

今后将再改成直销协会，这难道还会有疑问吗？

“伊士曼”和化学部门一起被剥离后，柯达的包袱终于被甩掉了。

尽管纽约中央运输公司作为公司名称也许不会成功，但有大量证据表明，人们基本上是从字面上理解名称的（比如，东方航空公司）。

我们应该补一个要点。如果纽约中央铁路公司进军航空业，他们肯定不应该使用“纽约中央”这一品牌名。在这种情形以及许多其他情况下，公司应该考虑多品牌。

政府部门通常很善于使名称宽泛化，如住房与城市开发部过去叫住房与家庭资助局。政府部门通过名称宽泛化，能够扩大其管辖范围、增加人员编制，自然也就能增加其经费预算。

Consumer Protection Agency

这是个极好的主意，显然连10岁的孩子都能看出这个名称的好处。一个不知道如何有效地开展其业务的政府，怎能告诉我们小学的一个班级里合适的学生人数呢？

奇怪的是，有一个部门没有这样做，它就是联邦贸易委员会。如果起一个更宽泛的名字，就该是消费者保护局，这个名称还能利用当前的一个热门话题。

领先者还可以通过扩大其产品的应用范围而获利。

力木（Arm&Hammer）公司就做得不错，它把发酵苏打的用途扩大到了电冰箱上。

新成立的佛罗里达柑橘委员会正大力宣传橘汁——一种销量最大的果汁，也适合在午饭、快餐和其他餐饮场合饮用。它在广告上说“它不仅仅是早餐饮品。”

最大的商业性杂志《商业周刊》成功地把自己宣传成适合刊登消费品广告的上好刊物。如今，它刊登的广告中大约有40%属于消费品类。

领先的好处

事情并不像著名的“凯迪拉克”汽车广告所说的那样：“领先有领先的麻烦”（The penalty of leadership）；领先自有其巨大的好处。

领导者——即占有最大的市场份额的公司——同样有可能拥有该市场中最高的利润率。诸位不妨看一下在某个典型年份（1978年）里四大美国汽车制造公司的情况。

通用汽车拥有该市场中49%的份额和6.1%的净利。

福特公司拥有34%的市场份额和4.4%的净利。

克莱斯勒的市场份额为15%，净利为1.0%。

美国汽车公司的市场份额为2%，净利为0.4%。

通用汽车的净利是美国汽车公司销售额的50%以上。

富人越来越富，穷人越来越穷。

此外，由这种绝对领先地位造成的发展势头在以后的许多年里肯定会带动公司顺势而进。

还需要注意的是，**使公司强大的不是规模，是品牌在心智中的地位**。心智地位决定市场份额，从而使公司能够像通用汽车那样强大（或者像克莱斯勒那样弱小）。

例如在销售方面，克莱斯勒公司的销售额是宝洁公司的两倍，但宝洁在它涉足的大部分品类中都是领导者，而克莱斯勒在其行业里只是个可怜的老三。

结果：宝洁盈利十分丰厚，而克莱斯勒则在为保住自己的地位而苦苦挣扎。

定位行动的最终目的应当是在某个品类取得领导地位。一旦有了这种领先地位，公司就可以在今后的许多年里放心地享用领先带来的果实了。

成为第一是艰巨的，保持第一却容易很多。

汽车领域里的变化实在太大了。通用汽车的市场份额如今下降到了29%，福特为25%，克莱斯勒现在改名为戴姆勒－克莱斯勒（Daimler Chrysler），它占据了17%的份额，美国汽车公司则已不复存在。

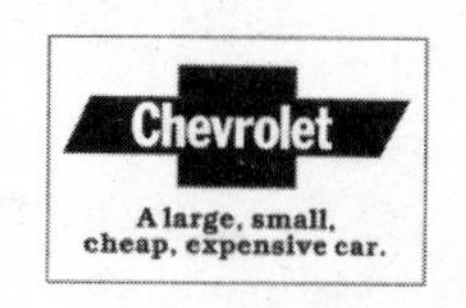

理论上正确的东西在现实中未必会发生作用。拥有50%左右市场份额的通用汽车公司理应是汽车行业的主导者，可是这个比例逐渐下降到了29%。问题出在哪里？出在每个品牌的定位上。雪佛兰是什么？是既大又小、既便宜又昂贵的汽车。如果你想成为一切，最终只会什么都不是。通用汽车在其他品牌的定位上也犯了同样错误。

POSITIONING

第7章

跟随者的定位

对领导者有效的方法对跟随者不一定有效。领导者往往可以通过拦截对手的竞争行动来维护自己的领导地位（就像泰诺对Datril的降价行动进行反击那样）。

跟随者却不具备在拦截战略中获利的地位。跟随者如果效仿领导者的做法，那根本不是拦截，而是跟风行为（人们通常更加委婉地称其为“追赶时代潮流”）。

跟风反应有时对跟随者也会管用，但是这只有在领导者没有及时建立定位的情况下才会发生。

跟风的危险

跟风产品不能达到理想的销售目标，因为其重点放在“更好”而不是“速度”上面。就是说，位居第二的公司认为，通往成功之路就是推出跟风产品，只要更好就可以了。

仅仅比竞争对手好是不够的。你必须趁局势不明发起进攻。趁领导者还没来得及建立领导地位，发起规模更大的广告促销行动，并且起一个更好的名字（这一点将在下文中详述）。

但是，事实恰恰相反。跟风公司在改进产品的过程中浪费了时间，广告宣传的投入少于领导者，新产品又用公司名作为品牌名，因为这样便于迅速获取市场份额。这些做法全都是我们这个传播过度的社会里的致命陷阱。

DEC花了好长时间企图“在个人电脑上超过IBM”，结果错过了开发台式计算机的机会，最后被康柏公司收购。

如何在潜在客户心智中寻找到一个空位呢？

与切斯特·鲍尔斯（Chester Bowles）一起创立本顿与鲍尔斯广告公司的威廉·本顿（Benton & Bowles）是这样说的："我会在大公司的业务结构里寻找薄弱环节。"

寻找空位

法国人的一个营销词汇很好地归纳了这一战略，寻找空位（cherchez le creneau）。

找出空位，然后填补上去。

这个说法与美国精神中根深蒂固的"更大、更好"的理念恰恰相反。

美国人还有一种态度也使定位思维难以展开，因为从小接受的教育就是用一种固定的方式进行思考。

诺曼·文森特·皮尔（Norman Vincent Perle）所说的"积极思考的力量"就代表这种态度，也许这种态度会成就很多畅销书，却摧毁了人们寻找空位的能力。

要想找到空位，你必须具有逆向思考的能力，反其道而行之，如果人人都朝东走，那就看你能不能找到一个空位往西走，对克里斯托弗·哥

在潜在客户的心智中"找空位"是营销领域中的最佳战略之一。空位有用与否，不一定非得看它是否令人振奋、引人瞩目甚至对顾客十分有利。劳力士是第一块价值昂贵的手表，奥威尔·雷登巴赫（Orville Redenbacher）是第一种最贵的爆米花，米狮龙是头一份高价国产啤酒。价格高了，顾客的利益又在哪里？然而，这些品牌都是第一个填补了潜在客户心智中的这些"空位"，而且个个都取得了很大的成功。

伦布管用的战略对你同样也适用。

让我们一起来探讨一些寻找空位的战略。

尺寸空位

多年来，底特律的汽车制造商们一直热衷于加长和降低车身，使车形一年比一年流畅、美观。

大众甲壳虫进入市场，车身又短又宽，丑陋不堪。

传统的宣传方法会弱化甲壳虫的弱点，突出其优点。

你通常会采用的战略是请一位能使它看上去漂亮一些的时装摄影师，从更好看的角度拍摄。

可是，空位就是尺寸，大众汽车公司迄今所做的最有效的广告明确无误地陈述了其定位意图：

“往小里想”（Think Small）。

标题就这么几个字，却同时完成了两件事，一是说明了大众的定位，二是向潜在客户心智中越大必然就越好的假定提出了挑战。

往小里想？这有什么好处？任何一次正规的市场调查都会表明，大多数人想要比邻居大的汽车。但是，在广告宣传中更重要的是，要使潜在客户知道你想填补什么样的空位，而不是宣传买该产品有哪些好处。大众公司所做的头一件事就是，抓住了人们头脑里“小”的概念的空位。

这种方法的效果如何，当然要取决于潜在客户心智里是否存在这样一个空位。当时市场上不是没有其他微型汽车，但谁也没有抢先建立起微型汽车的定位。

大众公司的做法是在尺寸上占据空位的典型案例。索尼公司在电视机上也采取了同样的做法（“微型电视机”）。

集成电路和其他电子设备从技术上使“小型化”这个空位在许多品类中成为可能。只有时间才能告诉我们，今后哪些公司能够利用电子技术在小型化方面建立极具价值的定位。

反过来也同样有效。Advent公司正在大型投影式电视机上建立定位，尽管Advent电视机容易和相同品牌的高保真扬声器混淆，有可能影响其成功。

Advent公司发明了投影式电视机。当然，屏幕为40～60英寸的投影式电视机在电视机市场上一向占据着有利可图的一小部分份额。但是，对公司干劲十足的首席执行官伯尼·米歇尔（Bernie Mitchell）（此人是该公司从生产高保真设备的先锋公司（Pioneer）成功地挖过来的）来说，投影电视机的销售状况还不够令人满意。米歇尔先生做出决定说：“让我们把Advent及其分支业务从老路上带出来，打进家庭娱乐中心行业。”不出所料，Advent最后上了破产法院，从某种意义上说，家庭娱乐中心也落得同样的下场。这又是一个品牌延伸过度的例子。

高价空位

这方面的典型例子是米狮龙啤酒。安海斯-布希（Anheuser-Busch）为一种高价国产啤酒找到了一个尚未开发的市场，于是便用米狮龙这个名字打入了人们的心智。

米狮龙的故事里具有讽刺意味的是，至少从理论上来说，当时市场上有不少高价品牌，施利茨、百

First class
is Michelob.

米狮龙凭借着有史以来最出色的定位广告而成功。但是他们很快放弃了这一广告，采用了像“周末是为米狮龙创造的”之类毫无意义的概念。

威和蓝带就是其中的三个。（实际上，这三个品牌的标签上至今还带有“高档”两字。）但是，时间销蚀了他们的高价定位。

当年，在地方品牌（纽约有Schaefer，米尔沃基有Blatz，芝加哥有Meister Brau）大行其道的日子里，全国性或“外来”品牌被迫卖高价。但是，在啤酒业分散经营后，这种状况不复存在了。因此，时间创造了一个空位，使米狮龙趁虚而入。

在许多品类里，高价空位都很可行。我们这个一次性社会看到了保护资源的紧迫性，人们重新关注起那些持久耐用的优质产品了。

这就是售价30 000美元的奔驰450SL和宝马633CSi型轿车畅销的原因之一。

这些售价30 000美元的轿车如今卖到了75 000美元，销量依然不减当年。

还有都彭（S.T.Dupont，这名字起得好）打火机，广告上说：“每只不超过1 500美元。”

价格是一种优势，如果你是该品类中第一个建立高价定位的品牌，情况尤其如此。

皇家芝华士威士忌就是个很好的例子。市场上尽管也有其他高价威士忌，如长颈Hajg & Haig。可是，第二次世界大战后，这些品牌听任其高价地位逐渐败落。于是，当皇家芝华士用一句直白的“我们

只要能创立一个你就是第一的认知，你不是第一也能成功。皇家芝华士仍然在高价威士忌当中维持着领导地位。

是高价品牌”的口号打入市场时，便大获成功。

当然，如今皇家芝华士也受到了来自尊尼获加（Johny Walker）的“黑牌”和顺风12年陈酿（Cutty 12）的进攻。但是，皇家芝华士作为第一个进入人们心智的品牌，地位依然强大，特别是在进攻方的品牌名称容易和生产商的原有产品名称——尊尼获加和顺风（Cutty Sark）混淆的情况下。

有些品牌几乎把全部产品信息都集中在高价概念上。

“仅有一种快乐（Joy）——世界上最贵的香水。”

“为什么不收藏一款伯爵——世上最昂贵的手表？”

高价战略不仅对奢侈品如轿车、威士忌、香水和手表有效，在爆米花之类的平常物品上也同样管用。奥维尔·雷登巴赫公司售价89美分一筒的“美食家爆米花”从售价只及其一半的品牌（如Jolly Time）那里夺走了相当大一块市场。

售价为3.95美元的美孚牌发动机合成润滑油也是其中的一个例子。就连价格向来低廉的产品如面粉、糖和盐也都有定位的机遇。

然而，人们往往把贪婪和定位思维混为一谈。卖高价不是致富之路。成功的秘诀是：你必须是第一个，用有效的品牌故事，在一个

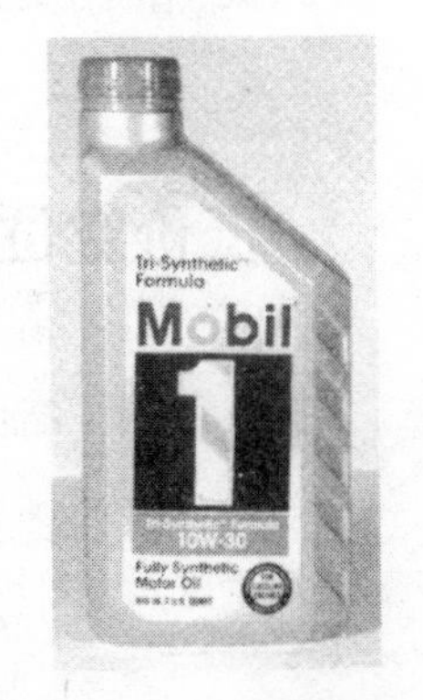

美孚1卖得并不太好。它的营销概念（即第一种发动机合成润滑油）很出色，但名字起得太差。新概念需要有一个新名称，而不是一个合成的延伸名称。奇怪的是，发动机合成油在欧洲卖得很好，在美国却不行。其中一个原因是：没有一家美国公司用一个新的只代表合成油的品牌名称来推出一种主要品牌的发动机合成油。这个品类依然在等待领导者来承担起这个任务。

顾客能够接受高价的品类里建立高价地位。否则，卖高价只会把潜在客户给吓跑。

进一步来说，要在广告中建立高价的定位，而不是在商店里。价格（无论高低）只是产品的诸多特点中的一个。

必须用真正的差异化支撑高价。即使没有别的用处，它也能为让人多花钱做出合理的解释。

如果定位工作做得正确，就不会在商店里使顾客感到意外。你的广告不必说出具体价格，尽管有时这样做也不错。广告的真正作用应该是，把你的品牌明确地定位在某个价格类别中。

低价空位

除了高价之外，相反的策略也有利可图。

目前销量最大的传真机品牌是由埃克森公司的一家子公司生产的Qwip。Qwip牌传真机的租金是每月29美元，与每月租金45美元的施乐牌复印机竞争。现在，Qwip出租的传真机数量是其他所有同类品牌的总和。

施乐
办公系统

Qwip后来怎样了？该公司决定用埃克森这个名字推出全套办公设备。此举最终被证明大错特错。办公系统分部在创造了源源不断的赤字之后只好关门大吉。一家汽油公司怎么会懂得办公用品呢？

在评估价格空位时，要记住的是，对传真机、录像机之类的新产品来说，低价位空位往往是个好的选择。购买这类产品的顾客认为自己是在碰运气（如果它不好用，我也没赔多少钱）。

对于汽车、手表和电视机之类的老产品——特别是那些顾客对其现有维修服务不满意的产品来说，高价位空位往往是个好选择。

最近推出的通用名称（“无名”）食品品牌，就是在超市里利用低价位空位的一种尝试（尽管多年来一直重视销量和低价位的零售商已经把这方面的空位填补得差不多了）。

如果把这三种价格战略（高、中、低）结合在一起，一般说来，你就有了一个强大的营销战略，就像百威英博公司销售米狮龙、百威和安海斯-布希（Anheuser-Busch，该公司的低价啤酒）三种价格的啤酒那样。

当然，其中地位较弱的品牌是安海斯-布希，因为它一是名称起得不好，二是缺少一个强有力的定位概念。企业为何要把自己的名字只是用在价格最低的产品上？名字问题也困扰着福特汽车公司。它的高、中、低三种价格的品牌分别是林肯、水星和福特。

其他有效空位

性别也是一个空位。万宝路是第一个在香烟领域里建立男性定位的全国性品牌，这也是菲利普·莫里斯（Phillip Morris）公司的万宝路品牌销量稳步上升的一个原因，它在10年内从第五位升到了第一位。

“卡尔文·克莱恩”（Calvin Klein）牌牛仔裤也是一个用性别成功定位的案例。

从过去的香烟广告中很难发现不出现女人的例外。这很令人吃惊，因为当时抽烟的主要是男人。结果，所有的香烟品牌为了拓宽市场，都变成了男女皆宜的品牌。菲利普·莫里斯公司则反其道而行之。他们抛开女人，只用男性形象，后来又决定只用牛仔，因为牛仔是男人中的男人。这一定位战略最终使万宝路成为世界上销量最大的香烟。

时机是关键。1973年，罗瑞拉德（Lorillard）公司企图推出自己的男性化品牌，起名为Luke。名字起得棒极了，包装十分漂亮，广告也做得出色：“从坎卡基到科克莫，Luke自由自在、缓缓而来。”（From Kankakee to Kokomo along comes Luke movin’free and slow.）

唯一的不足的是选错了时机，晚了大约20年。Luke的确来得太缓慢，罗瑞拉德公司只好放弃了它。

在给一项产品定位时，什么也比不上成为第一。

就像男性化使万宝路获得成功那样，女性化使维珍妮（Virginia slim）牌香烟取得成功，该品牌采用相反的路子夺走了好大一块市场。可是，Eve这个跟风品牌虽然也试图走女性化路子，却以失败而告终。

当你在性别细分出的新品类中建立定位时，显而易见的方法并非总是最好的。

以香水为例。你会觉得香水品牌名称起得越温柔、越女性化，成功的可能性就越大。那么，世界上销量最大的香水是什么牌子的？

不是Arpege，也不是“夏奈尔五号”，而是露华浓公司的查利，它是第一个试图用男性化名字与穿套装的女人广告争高低的香水品牌。

而模仿它的品牌“就叫我马克西”(Just Call Me Maxi) 不仅效果不好，据说还让公司总裁马克斯·法克特 (Max Factor) 丢了饭碗。

查利的成功案例提示了人们在香水之类的品类中建立定位所面临的悖论。同行业的人大都朝一个方向发展（女性化品牌名称），机遇却在相反的方向上（一个男性化倾向的品牌名称）。

年龄是另一个可供运用的定位战略。Geritol牌营养液是以老年人为对象的成功产品中的一个正面例子。

Aim牌牙膏则是定位于孩子的产品中的一个正面例子，它在牙膏市场上开辟出了10%的份额。在一个被佳洁士和高露洁两大品牌割据的市场上，此举不啻是一大成就。

一天当中的时段也有可能成为定位目标。第一个夜间感冒药Nyquil就是其中的一例。

万物之中没有与世长存的，尤其是那些具有“时尚”特征的品类，如香水、服饰、烈酒等。查利已经被一大批更新的香水品牌所取代。又如，在服装方面，卡尔文·克莱恩 (Carlvin Klein) 已经被拉尔夫·劳伦 (Ralph Lauren) 所取代，而后者也正在汤米·希尔菲格 (Tommy Hilfiger) 面前节节败退。公司如果采用多品牌战略，就能通过适时推出新品牌来维持自己在市场上的领先地位。年轻人正在放弃李维斯，垂青于更时髦的品牌，如FUBU和迪塞尔 (Diesel)。他们不想和父母穿同一个牌子的衣服。李维斯公司应当专门为其当前顾客的下一代推出蓝色牛仔品牌。

“喂！妈妈，孩子刷牙的时间会更长，因为他们喜欢这种口味。”Aim公司放弃了这个定位于孩子的战略后，其10%的市场份额也落到了0.8%。我们早就说过，好东西不用就会失去。

经销方式则有可能成为另一个定位战略。蛋袜（L'eggs）是第一个在超市和大宗商品批发店里经销的袜类品牌，它现在成了头号品牌，销量数以亿计。

再有一个途径是针对重度饮用者的定位。“唯一一种喝了还想喝的啤酒”（The one beer to have when you're having more than one）把Schaefer定位成重度饮用者的啤酒品牌。Schaefer的宣传活动在大约20年前推出时，纽约市有五家啤酒厂，如今只剩下了一家，那就是Schaefer公司。

工厂空位

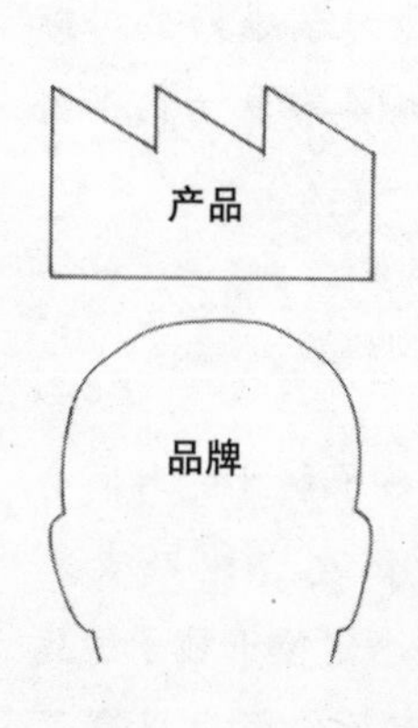

即使到了今天，各公司还把精力放在产品而不是品牌上面。从某种意义上说，产品是在工厂里制造出来的，品牌是在心智中打造出来的。如今要想取得成功，你必须制造品牌而不是产品。而要通过定位战略来打造品牌，首要的一步就是取一个好名字。任何一种起名为埃德塞尔的汽车品牌都注定会失败。

找空位时经常犯的错误是填补工厂里的空位，而非人们心智里的空位。

福特公司的埃德塞尔（Edsel）就是一个典型的例子。大家在倒霉的埃德塞尔牌轿车寿终正寝之后拿它开玩笑，但大多数人没有看到问题的关键所在。

实质上，福特公司的出发点不对。埃德塞尔是一个内部定位的“完美”案例，旨在填补福特、水星与林肯之间的空位。

从工厂内部来看，这是个不错的战略，但从外部看就是个差战略了，因为在中档价格的汽车品类里，根本就没有埃德塞尔的位置。

假如埃德塞尔定位为“高性能”轿车，配备上造型美观的双开门和凹背座椅，再加上个与之相称的名字，就不会被人取笑了。它原本可以占据一个别人尚未占据的位置，那样的话，故事的结局也许就不一样了。

另外一个“填补工厂空位”的错误是《全国观察家报》（*National Observer*），它是第一份全国性周报。

出版《全国观察家报》的道·琼斯公司同时还发行《华尔街日报》，但一周只出五天。于是，你会听到有人说，让我们出一份周报来填补这个空位吧，这样就能免费使用那些成本昂贵的日报印刷设备了。

但是，潜在客户心智里的空位在哪里？他们可能已经订阅了《时代》、《新闻周刊》、《美国新闻与世界报道》（*U.S.News & World Reports*）以及其他新闻杂志。

你会说，对，可是《全国观察家报》是一份周报，而不是杂志，逞口舌之能的代价却是在营销战里惨败。

技术陷阱

如果人们心智里没有空位，实验室里研制出来的技术成果再好也会归于失败。

1971年，布朗-福曼（Brown-Forman）酿酒公司推出了第一种“干白威士忌”——Frost 8/80。

白色威士忌

定位不是头脑简单的人玩的游戏。没错，白色威士忌装在瓶子里卖是第一次，但它在人们心智中却不是第一，而真正重要的是后者。在人们的心智中，威士忌是棕色的，怎么会有白色的威士忌呢？Frost8/80和第一份白色啤酒透明米勒（Miller Clear）或第一份白色可乐水晶百事（Crystal Pepsi）一样，都以失败而告终。啤酒是浅棕色的，可乐是红棕色的。如果你想改变心智中的这些颜色，你是在设法改变那些根深蒂固的观念。别担心，人们从不接受教训。眼下，亨氏公司正在试图推出绿色番茄沙司。在人们的心智中，番茄酱是红色的。

Frost 8/80本该会是一大成功，因为这个领域是一个大空白：世上还没有干白威士忌。布朗-福曼酿酒公司总裁威廉·卢卡斯（William F. Lucas）说：“它受到顾客的热烈欢迎和竞争对手的切齿痛恨。”

然而，不到两年的时间，Frost8/80就完蛋了，成了一场代价达数百万美元的失败，销量总共只有10万箱，为公司预期的1/3。

错出在什么地方？不妨从潜在客户角度来检视这一定位诉求。

第一种干白威士忌？不对，至少还有另外四种，它们是杜松子酒、伏特加、朗姆和墨西哥龙舌兰酒。

事实上，Frost8/80广告是在劝说潜在客户把这种新型威士忌看做其他蒸馏烈酒的替代品。用那则广告上的话来说，Frost8/80可以像伏特加或杜松子酒那样兑在马提尼酒鸡尾酒里，或者像苏格兰威士忌或波旁酒那样兑在曼哈顿鸡尾酒和酸味威士忌里。

不要和潜在客户玩文字游戏。做广告不是与人辩论，而是勾起人们的兴趣。

潜在客户对精巧的语言逻辑不感兴趣。有位政客说过：“如果那东西看上去像鸭子，走起路来也像鸭子，我就说它是鸭子。”

满足所有人需求陷阱

有些营销人反对“找空位”概念。他们不想被固定在某个明确的定位上，因为他们认为这样会限制销售规模，或者失去更多的机会。

他们想什么都能做，满足所有人的需求。

在过去的年代，品牌和广告都比现在少得多，满足所有人需求是可以做得到的。

在政界，过去哪个政客若想在任何事情上都采取强硬立场无疑是自杀，不要得罪任何一个人。

可是如今无论是在产品领域还是在政界，你都得要有自己的定位。参与竞争的公司太多了。要想不树敌，通过满足所有人的需求去赢得胜利，根本办不到。

要想在当今的竞争环境里取胜，你必须走出去结交朋友，在市场上开辟出一个明确的市场定位，即使有所损失也在所不惜。

如今，如果你已经有一定的职位或者拥有可观的市场份额，满足所有人需求也许能使你维持下去。但是，如果你从无到有地建立一个定位，这个陷阱会置你于死地。

公司犯的最大的错误就是试图满足所有人的需求，即人人满意陷阱。如果公司自问“我们要满足谁的需求”，还不如问“谁不用我们的品牌？”大部分公司发现，它们的战略考虑了所有人的需求。**如果不做出取舍，在激烈的市场营销战争中将不会取胜。**

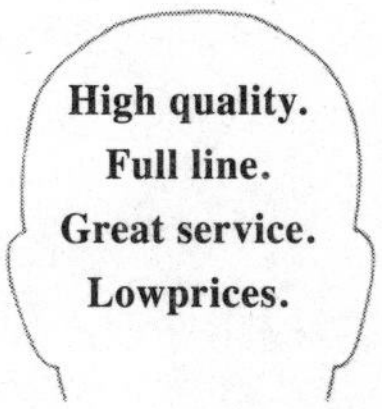

POSITIONING

第8章

重新定位竞争对手

有时也许你找不到空位，由于市场上的每一个品类中都有成百上千种不同产品，如今发现空位的机会可谓少之又少。

就拿当下一家普通的超级市场为例。它陈列了一万种商品或品牌，这意味着要让一个年轻人在心智里对这一万种商品加以分辨或分类。

假如你知道一个普通的大学毕业生口语词汇量只有8 000个，就会知道问题所在。

这个年轻人在大学里上了四年学，到头来却还差2 000个词。

创建自己的空位

鉴于每一品类都有那么多种产品，公司怎样才能用广告将其打入人们的心智？最基本的营销战略必须是“重新定位竞争对手”。

另一个有关成为第一之威力的例子是：第二个率人去新世界探险的船长叫什么？1497年，也就是哥伦布完成第一次远航5年后，约翰·卡伯特率领一支英国探险队最后抵达圣劳伦斯湾。他回到伦敦后，英王亨利只草草赏赐了他区区10英镑。没有头衔，没有财富，也没有作为位居第二的探险家而留名史册。

由于空位太少，**公司必须通过给已经占据人们心智的竞争对手重新定位来创建空位。**

换言之，要想使一个新理念或新产品进入人们的心智，你必须先把人们心智里原有的相关观念或产品排挤掉。

哥伦布说：“大地是圆的。”“不，不对，”公众说，“大地是平的。”

为了说服公众接受这个新观

点，15世纪的科学家们必须首先证明大地不是平的。

他们提出的比较有说服力的一个观点是，水手在海上首先能看到的是对面船上的桅杆，然后看到的是船帆，最后才是船身。如果大地是平的，他们就能同时看到整条船。

所有的数学理论都不如简单的观察结果，可以由公众自己来验证。

一旦旧理念被推翻，推广新理念往往就变得简单至极。事实上，人们往往会主动寻找一个新的理念去填补由此造成的空白。

绝不要害怕争执。重新定位的关键在于从根本上动摇现有的观念、产品或人。

冲突——即使是个人之间的——能够让你在一夜之间建立名声。

假如没有理查德·尼克松，有谁会知道山姆·埃温？

进一步说，假如没有阿尔杰·希斯，又有谁会知道尼克松？

还有，拉尔夫·纳德不是靠宣扬他自己，而是凭着自己单枪匹马地向世界上最大的公司宣战闻名全国的。

人们喜欢看到神话的破灭。

重新定位阿司匹林

泰诺的问世打破了阿司匹林的神话。

“为千百万不应服用阿司匹林的人着想。”泰诺广告说道，“如果您的胃容易不舒服，如果您有胃溃疡，如果您有哮喘、过敏或者

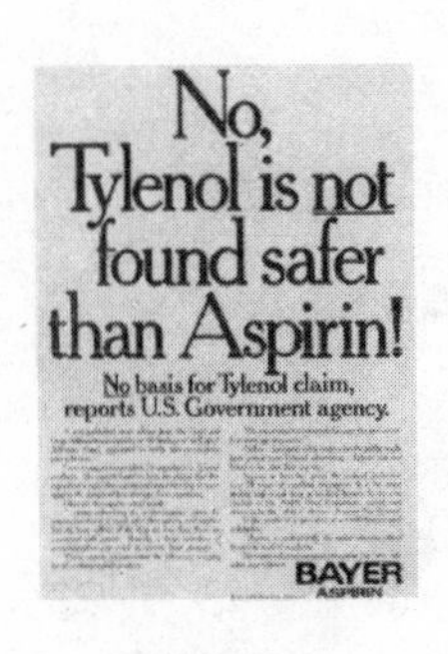

拜耳公司试图用广告对泰诺的说法提出异议，进行反击。这不是个好主意，这样反而证实了泰诺的说法。潜在顾客会这样想："既然拜耳的阿司匹林这么担心泰诺，居然花百万美元打广告反驳对方这些说法，那么阿司匹林会造成胃出血的观点肯定有一定的道理。"

缺铁性贫血。在服用阿司匹林之前应该请教一下医生。"

"阿司匹林会刺激胃黏膜，"泰诺广告继续说道，"引起哮喘或过敏反应，造成胃肠道隐性微量出血。"

"幸好还有泰诺……"

说起了60个词之后才提到广告主的产品。

泰诺牌对乙酰氨基酚的销量大增。如今，泰诺成了镇痛药品中的第一品牌，超过安乃近（Anacin），超过了拜耳，超过了百服宁，也超过了Excedrin，一个简单但有效的重新定位战略便使它有了今天的地位。

而且是通过与大名鼎鼎的阿司匹林对抗来实现的。不可思议！

当今的第二号品牌是Advil。"新一代止痛药"的口号重新定位了整个品类。

重新定位雷那克斯

为了使一项重新定位战略产生效果，你必须对竞争对手的产品有所评论，从而改变潜在客户对竞争对手的产品而不是你的产品的认知。

皇家道尔顿（Royal Doulton），英国特伦河畔斯托克市生产的瓷器；雷那克斯（Lenox），美国新泽西州波莫纳市生产的瓷器。

请注意，皇家道尔顿是如何重新定位雷那克斯瓷器的，许多消费者过去认为后者是进口货。（雷那克斯？听上去像英国名字，对吧？）

光说你的产品皇家道尔顿是高档英国瓷器是不够的。对手的品牌过去在人们心智中排第一位。听到雷那克斯这个名字，潜在客户会认为它是从英国进口的。皇家道尔顿重新定位了雷那克斯，说明了它的真正产地是美国新泽西州的波莫纳。

皇家道尔顿认为该公司6%的市场份额是靠这一个广告取得的。

已故的霍华德·戈萨基（Howard Gossage）说过，做广告的目的不是为了与消费者和潜在客户交流，而是为了吓倒竞争对手的广告撰稿人。这话有一定的道理。

重新定位美国伏特加

有则广告说：“大部分美国伏特加很像俄国产的。”下面的说明文字是：“沙莫瓦（Samovar）产于宾州的申利；宝狮（Smirnoff）产于康涅狄格州的哈特福德；沃夫斯密特（Wolfschmidt）产于印地安纳州的劳伦斯堡。”

“红牌（Stolichnaya）则不同，它产于俄罗斯，”这则广告继续说道。酒瓶上则标明：“产于俄罗斯列宁格勒。”

结果就无须说了：红牌伏特加的销量直线上升。

可是为什么一定要贬低对手呢？红牌的进口商百事公司难道不

能只在广告里说它是“俄罗斯伏特加”吗？

当然可以。但是，这样等于认定美国伏特加消费者对该产品会有一定的兴趣，而实际上这种兴趣并不存在。

你拿起瓶子倒酒时，有几次会去注意标签，看它的产地；再说了，那些名字本身就暗示了其俄罗斯渊源。红牌伏特加的惊人成功很大程度上要归功于后一个因素。

人们喜欢看到达官贵人被曝光，喜欢看到那些泡沫破裂（这正是夜巴黎（Soir de Paris）香水的遭遇）。

再看一下，其他伏特加品牌的广告是如何使红牌从中获益的。

那是俄罗斯的黄金时代。在这个传奇般的时代里，沙皇在众人面前就如同一个巨人。他能在膝盖上掰弯铁棍，用手捏扁银币；他的酒量无人能比，他喝的就是真正的伏特加。

沃夫斯密特伏特加。

红牌抓住了俄罗斯伏特加这一定位，但后来在阿富汗危机中开始退缩了。它不再提自己的俄罗斯背景，打出的广告对其俄罗斯传统避而不提，结果给绝对牌伏特加以可趁之机。后者打入伏特加市场后抢占了领先地位，并且保持至今。

读者翻过这一页来就能看到红牌的广告，并且从中发现沃夫斯密特产于印第安纳州的劳伦斯堡。

如今出了阿富汗事件，红牌伏特加突然间遇到了麻烦。但这只是暂时的。只要美国不与俄罗斯开战，这场风暴很快就会过去，红牌还会卷土重来，而且声势会更大。

重新定位品客

品客薯片是怎么回事呢？宝洁公司出资1 500万美元大张旗鼓地推出的这种“新奇的”薯片很快就抢占了高达18%的市场。

接着，老一代品牌如博登（Borden）公司的智慧（Wise）薯片用一个典型的重新定位战略进行了反击。

他们在电视上读出标签内容：

“智慧薯片的成分是：土豆、植物油和盐。”

“品客的成分是：脱水土豆、甘油一酸酯和甘油二酸酯、抗坏血酸、丁基羟基苯甲醚。”

品客的销量随即大跌，从18%可观的薯片市场占有率下降到10%，远远低于宝洁公司25%的预期目标。

奇怪的是分析调查中没有提到另外一个问题，人们对品客抱怨最多的是它“吃上去像硬纸片”。

这正是你希望消费者看到“甘油二酸酯”和“丁基羟基苯甲醚”之类的词之后做出的反应。口味，无论是属于审美还是味觉，只不过是心智的认知。你的眼睛只看你期望看到的，你的舌头只按照你预期的方式做出反应。

假如有人强迫你喝一杯H_2O，你的反应很可能不好，但如果有人请你喝一杯水，你可能会觉得味道不错。

这就对了，二者的差别不在口腔里，而是在心智里。

最近，这家设在辛辛那提的大公司改变了战略：将品客包装成为一种“全天然”产品。

我们这样说并不对。过了一阵，品客确实杀了个回马枪，其战略是强调它真正与众不同的地方：包装。尽管如此，品客再也没能实现在市场上占据领先地位的目标，而这个目标正是宝洁公司当初推出该品牌时所期盼的。

在这个由乐事和Ruffles公司主导的品类里，品客如今依然排不上名次。

可是，损害已经造成了。政界和包装食品市场一样，其法则是：一旦失败就永无出头之日。要想使品客收复失地，就像让贝拉·阿贝朱格⊖东山再起一样，难上加难。

在人类心智中某个小小的角落里，有一个写着“失败者”的惩罚箱。你的产品一旦被放进那个箱子里，就没戏了。

不如回到起点，重新开始，推出新产品，再来一局。

在所有的公司当中，宝洁公司本来最应该了解重新定位的威力，最应该预先采取措施保护品客。

重新定位李施德林

由宝洁公司发起的声势最大的项目之一是Scope漱口液。它用两个字给有“去口臭之王”之称的李施德林重新定位：

“药味。”

这两个字彻底破坏了李施德林极为成功的广告诉求“你憎恨的味道，一天两次”。

⊖ Bella Abzug，美国女权运动领袖，后被喻为昙花一现的人物。——译者注

Scope从市场领导品牌李施德林手中夺走了几个百分点的份额，并且牢牢占据了第二的位置。

李施德林和Scope之间的这场较量殃及了几个其他品牌。Micrin和Binaca被淘汰出局，Lavoris的市场份额大幅萎缩。（这正应了一句非洲谚语："大象打架，蚂蚁遭殃。"）

不妨再探讨一下这个案例。Scope并没有取得它在理论上应当获得的领导地位。

原因是什么？看看它的名字就明白了。

Scope？听上去像是派克兄弟公司生产的一种娱乐棋，不像一种味道清新的漱口液，用了它能使你博得异性的青睐。假如给Scope起一个像"亲近"（Close-up）牌牙膏那样的名字，它就能使其出色的重新定位战略获得与之相称的销售业绩。

在推出Scope之前，我们就很清楚：如果搞一次市场调查，结果会表明消费者很难接受一种"口味不错"的漱口液。可是，宝洁公司却一反传统漱口液的理念，推出了一种口味好的品牌。无论从产品还是从定位宣传的角度看，这都是一个好战略。不去尝试，就永远不知道它灵不灵。你只要想出一个好的定位，就能有机会开发一个成功的品牌。

我们当初对这个名字的看法是错的。Scope如今与李施德林平分秋色。尽管如此，起一个好一点的名字有可能使Scope成为漱口液中的主导性品牌。

重新定位与对比性广告

泰诺、Scope、皇家道尔顿以及其他一些重新定位项目的成功，导致了一大批相似的广告活动。然而，这些仿效他人的宣传往往不能抓住重新定位战略的实质。

“我们比对手强”的说法不是重新定位，这叫对比性广告，其效果并不很好，在这类广告主的推理中会有一个心理上的漏洞，对此潜在客户很快就会发现，“既然你那么强，为什么还没发财？”

这也是人们看到“百事挑战”时做出的典型反应。百事可乐的广告说，喝可乐的人当中有一半以上喜欢百事。

事实上，在百事公司第一个打出“百事挑战”广告的城市达拉斯，百事可乐也只拿到几个百分点的市场份额。这几个百分点相比于两者间的差距实在是微不足道。

在美国最大的软饮料市场纽约，可口可乐在百事挑战活动开始后反而增加了几个百分点的份额。

看一下其他对比性广告就会明白，这些广告为什么没有效果。因为他们没有重新定位竞争对手。

相反，他们把竞争对手当成了自家品牌的参照标杆，然后告诉读者或观众他们的品牌要好得多。当

请看皇冠（Royal Crown）的这幅广告。它声称一百万次品尝实验表明，皇冠可乐以57%对43%击败了可口可乐，还以53%对47%击败了百事可乐。人们为什么不相信这种广告？他们会想：“假如皇冠的味道胜过可口可乐和百事可乐，它不就成了第一品牌了。既然不是第一品牌，它的味道就不可能胜过别人。”

然，这正是潜在客户希望广告主说的话。

“Ban的效果胜过Right Guard，Secret、Sure、Arrid Extra Dry、Mitchum、Soft & Dry、Body All、Dial。”Ban在最近的广告中如是说。

重新定位合法吗

假如诋毁别人不合法的话，政客个个都得进监狱（许多夫妻也会深陷麻烦之中）。

实际上，联邦贸易委员会在很大程度上促成了重新定位广告，至少在电视上是如此。

1964年，美国国家广播公司取消对比性广告禁令，但影响不大。商业广告的制作费用很高，广告主们很少有愿意同时制作两个版本，一个在NBC播出，另一个在其他两家广播公司播放。

Ban品牌做的这个广告是对比性广告，不是重新定位广告。结果这种通过与所有其他品牌的空气芬芳剂进行比较来确立行业地位的做法彻底失败。潜在顾客看到这类广告时会加上一句这样的话：“在它的生产商看来，Ban的效果胜过……”如果一则相似的广告说“Right Guard的效果胜过……”这在普通人看来也没什么不合适的。

于是，联邦贸易委员会在1972年敦促美国广播公司和哥伦比亚广播公司允许播放提及对手品牌的商业广告。

1974年，美国广告商联合会公布了新的对比性广告实施准则，表明它的政策发生了彻底转变。过去，该联合会不主张其成员使用对比性广告。

1975年，控制着全国电台和电视台的英国独立广播管理局向

“诋毁别人”的广告开了绿灯。

当时有人问联邦贸易委员会主席迈克尔·珀楚克是不是反对使用提及对手的广告，他回答说：“决不。我们认为这种广告非常好。”

重新定位合乎道德吗

过去，广告制作是孤立的。也就是说，你对某个产品及其特点进行相关研究后，做广告来告诉你的顾客和潜在顾客这些特点的好处。至于竞争对手的产品有没有这些特点，关系不大。

你在进行重新定位宣传时，要做到“公平”。那就是说，你应该以合乎道德的方式对待竞争对手。Ragu过去（现在仍然）是头号意大利面条调味酱。然而，它的市场份额降低了不少，因为Pregu成功地把自己定位成“浓汁”面条调味酱。(Pregu在电视上做的广告指名道姓地比较了这两个品牌。）这种做法行之有效的原因之一是，“稀汁”调味酱未必就不好。意大利（或者欧式）面条调味酱就是稀的。随你喜欢。如果你喜欢稀汁的，就买Rago，喜欢浓汁的，就买Pregu。

传统的广告忽略竞争对手，把每一个特点都说得像第一似的。若是提到对手，会被认为品位低下，战略拙劣。

然而在定位时代，这些准则被颠覆了。为了建立地位，你必须经常提到竞争对手的名字，而且还得把大多数旧的广告制作准则置于脑后。

潜在客户早就了解各类产品的好处了。**要想登上他们心智中的阶梯，就得把你的品牌与早已在那儿**

的品牌联系起来。

重新定位项目尽管有效，却也引来了大量的不满。许多广告人反对使用这种战略。

有位老派广告人这样说道："时代不同了。广告主再也不满足于吹嘘自家产品的优点了。如今广告的主题是，他们的产品比别人的强多少。这种情形真令人遗憾，电视就是其中最坏的例子，它当着千百万人的面描述并诋毁对手的产品。必须制定适当法规来限制这种不道德的营销手段。"

"对比性广告并不违法，"一家前十大广告公司的董事长说，"也不应违法。不过，像我们现在这样做广告不啻是对所谓有文化、有修养和体面的公司行为的嘲弄。"

也许是这么回事。拿破仑打破了文明人战争的规则，历史却把他称颂为一位军事天才。

文化与教养也许是值得钦佩的品质，但在广告战中是另一回事。

人们宁肯听信有关一项产品或一个人的缺点，也不愿相信最好的东西，难道这个社会处于病态吗？

报纸把坏消息放在头版上，却把好消息（如果他们会发布的话）和社交新闻专栏一起放在最后，难道报社做错了吗？

传媒业就像个长舌妇，它靠坏消息而不是好消息为生。

这些也许不是你认同的行事规则，但事情确实这样进行着。

要想在我们这个传播过度的社会里取得成功，就得按照社会通行的规矩去做，靠你自己的规矩行不通。

不要灰心。从长远来看，对竞争对手的少许评议要比过去那种大量的“自吹自擂”更有利。

重新定位中保持诚实与公平，让竞争对手时刻警惕。

在汉堡王的“想怎么吃就怎么吃”的了不起的重新定位宣传之前，麦当劳公司满足于只用一种方式销售汉堡，即麦当劳方式。如今，就连总统也能在家里吃到“不加酸黄瓜和番茄酱”的汉堡。

要是谁能开一家“不让小孩子入内”的汉堡店就好了。

汉堡王传递的信息和所有行之有效的重新定位宣传一样，具有“两面性”：一方面，汉堡王说你可以在他们店里吃到按你的要求制作的汉堡；另一方面，这话是在暗示，麦当劳的服务之所以迅速，是因为其产品是标准化的。没有一种方法能满足所有人需求。事实上，汉堡王放弃了这个计划，正是因为它使服务速度放慢了。该公司的下一个计划也属于重新定位性质的，叫做“非油炸”，它后来成了该公司有史以来最成功的广告。“这是读了你们的书后得到的启发”，公司总裁杰夫·坎贝尔在1982年写信对我们说。后来坎贝尔聘请我们设计一项后续战略。那就请再读一下本章的最后一行，我们建议汉堡王把自己定位为给大一点的孩子开的汉堡店，而不是为那些在米老鼠玩具店里玩耍的2～6岁的孩子开的。其主题是“长大要吃汉堡王的烤肉风味”。我们听从了这家公司的建议，把这个“长大”项目交给它的广告代理去做，后者却全盘否定了这个主意。我俩有生以来最大的遗憾之一，就是这项计划再也没有启用。

POSITIONING

第9章

名字的威力

名字就像钩子，把品牌挂在潜在顾客心智中的产品阶梯上。在定位时代，你能做的唯一重要的营销决策就是给产品起什么名字。

莎士比亚错了。玫瑰如果叫别的名字就不再芬芳依然。[⊖]你看到的是你想看到的，你闻到的也是你想闻到的，因此，香水的营销中最重要的决策如何命名自己的品牌。

"Alfred"香水会不会卖得和查利一样好？想都不用想。

位于加勒比海上的猪岛在改名为天堂岛之前一直默默无闻。

如何选择名字

不要回头求助于历史，选一位法国赛车手的名字（雪佛兰）或巴黎代表的女儿的名字（如梅塞德斯）。

过去管用的东西，现在或将来未必管用。在过去，产品种类少，信息传播量也小，名字不像现在这么重要。

到如今，一个无力的、毫无意义的名字难以进入人们的心智，你必须起一个能启动定位程序的名字，一个能告诉潜在客户该产品主要特点的名字。

比如海飞丝（Head & Shoulder's）洗发水，呵护（Intensive Care）润肤液，苗条（Slender）低热量饮料和亲近（Close Up）牙膏。

或者把长效电池叫做永久（DieHard），把新的烤鸡佐料叫做Shake'n Bake，把有助于胡子刮得更干净的剃膏叫做锋利（Edge）。

⊖ 莎士比亚在《罗密欧与朱丽叶》中有句名言："名字有什么关系？把玫瑰叫做别的名字它是照样芬芳。"

但是，名字不应“过头”，也就是说名字的含义不应过于接近产品内涵本身，像是一个通用名称，从而适用于该类别中的所有产品，而不是一个特定品牌的商标。

米勒公司出产的“莱特”啤酒就是个典型的例子。它的名字起过了头。[⊖]于是，我们现在有了“施利茨淡啤”、“安海斯－布希天然淡啤”和一大批其他种类的淡啤。公众与新闻界很快就把“莱特”篡改为“米勒淡啤”这个名字，从而使米勒公司失掉了把“淡啤”及其相似的发音“Lite”当做啤酒商标的专用权。

莱特的巨大优势在于它是第一个进入人们心智的淡啤品牌，可是这个通用性名字最后成了一个巨大的劣势。该品牌后来改名为“米勒莱特”，目前只能屈居百威淡啤之后，而且有可能败给康胜淡啤，退居第三。

选择名字成了当今商标注册的头号难题。在美国，现已注册的商标有160万个。欧洲是300万个。买一个商标往往要比起一个新名字还省事。

在今后的年月里，商标注册代理们会把莱特当成用描述性文字做商标的一个反面例子（律师们喜欢新造的名字，如“柯达”和“施乐”）。

起名字就像开赛车一样，要想改进，就得抓住机会。你得选择那些近乎通用但又不十分通用的名字。如果你一时偏离赛道，进入了通用名称地带，那就随它去了。没有一个赛车冠军在取得胜利之

⊖ 莱特啤酒“Lite beer”与通用名称淡啤“light beer”在英文中发音一致，导致米勒公司无法用“Lite beer”建立品牌。——译者注

前不偏离几回赛道的。

起一个有分量、接近通用的描述性名字可以防止对手跟风挤进你的领地。好名字是长期成功的最好保障。《人物》（*People*）对于一份绯闻专栏杂志是一个出色的名字，是一项极大的成功；而它的跟风品牌《我们》（*US*）却遇到了麻烦。

在这一点上，我们不得不收回我们说过的话。我们现在认为，《时代》这个品牌名胜过《新闻周刊》这个通用性名字。我们还认为，《财富》同样胜过《商业周刊》。当时我们被后两家使用通用性名字的杂志表面上的成功所误导。杂志界有“准入壁垒”，使得通用性名字不能像进入（比方说）包装商品业那样容易，从而使得通用性品牌名不会显露弊端。在超级市场或杂货店里，新的商品类别通常会引来大批的通用性名称，从而造成许多混乱。使用通用性名字的品牌很少有畅销的。

如何避免不恰当的名字

另一方面，《时代》（*Time*）作为每周一期的新闻杂志的名字就不如更为通用的《新闻周刊》（*Newsweek*）。

《时代》是第一个进入新闻周刊行列的杂志，这显然是一个成功。但是，《新闻周刊》也相去不远（事实上《新闻周刊》每年刊登的广告页数超过了《时代》）。

许多人认为《时代》是一个了不起的杂志名。在某种意义上的确如此，因为它短小、醒目、易记。可是，它同时也含混、多义（《时代》又可以被看成是一份钟表业的行业杂志⊖）。

《财富》（*Fortune*）这个名字也有同样的问题（《财富》可以是一份为股票经纪人、商品零售公司或赌徒办的杂志。含义很多）。

⊖ 因为Time一词也有时间的意思。——译者注

《商业周刊》（*Business Week*）这个名字就好多了，它也是一份更成功的杂志。

名字也会过时，从而给反应敏锐的竞争对手留出空位。

《绅士》（*Esquire*）对一份针对经常出入游乐场所的年轻男子的杂志来说，是个绝好的名字。那些年轻男子过去签名时总喜欢在大名后面加上“绅士”二字。可是，《绅士》把领先地位拱手交给了《花花公子》，人人都知道花花公子是什么样的人、喜欢什么。喜欢女孩，对吧？不过，绅士该是什么样子的？他又喜欢什么呢？

PLAYBOY
MAXIM

词语也会过时。现在的花花公子们绝不会称自己“花花公子”，这就给一份针对年轻男性的新杂志创造了机会。这个大赢家就是*Maxim*，它被广告时代选为当年最佳杂志。没有一个品牌会长盛不衰。产品会过时，服务会过时，连名字也会过时。聪明的公司不会把钱浪费在维护旧事物上面，而是推出新品牌来利用由变化带来的机遇。《花花公子》本应推出一份名称类似*Maxim*的刊物，而不应让别人占了先。

多年来，《游艇》（*Yachting*）一直是航海界中首屈一指的杂志。如今还有多少绅士拥有游艇呢？以我们预测，《游艇》迟早会被《帆船》（*Sail*）之类的杂志超过。

在所有的广告都刊登在报纸和杂志上的年月里，《印者之墨》（*Printer's Ink*）对一份为广告界服务的杂志来说是个好名字。可是，由于如今广播与电视成为和印刷刊物一样重要的媒体，《印者之墨》便寿终正寝，让位于《广告时代》了。

当今最具影响力的报刊之一是《华尔街日报》，它还没遇到真正的对手。但是，这家报纸的名字对一份商业日报来说并不合适，它暗示该报覆盖面狭窄，只注重财经方面；而实际上这家报纸涵盖了整个商界的动态。

从这些观察结果里就能发现机会。

偏爱自己的发明创造的工程师和科学家们应该对一些确实不怎么样的名字负责，比如XD-12（它可能表示“第12号实验方案”）。这些行业内的专业术语在潜在客户的心智中毫无意义。

以门依（Mennen）牌维生素E除臭剂为例，消费者会受文字影响，他们只会顾名思义。门依E牌除臭剂尽管花了1 000万美元做广告，但它注定要失败。问题就出在名字上，就连它的推广广告也承认这个想法有点怪：“维生素E竟成了除味剂，不可思议。”

真的是不可思议。也就是说，除非它确实对那些希望拥有全国最强壮、营养最好、最健康的胳肢窝的人有吸引力。

诸位对“Breck One”和“高露洁100”又怎么看呢？眼下，毫无意义的名字实在太多了。

由于在许多品类中，各产品彼此间的差别微不足道，起个好名字就意味着销售额能相差数百万美元。

何时可用无意义的名字

那些使用新创的、无意义名字（如可口可乐、柯达和施乐等）并取得显而易见的成功的公司又是怎么回事呢？

许多人难以接受定位思维的因素之一是，这些人不了解掌握时机的重要性。

第一个以新产品或新理念进入人们心智的公司很容易出名。不管它的名字是叫林德伯格、史密斯还是叫侏儒怪。

可口可乐公司是第一家以可乐类饮料出名的公司。柯达公司第一个以低价胶卷出名，施乐公司则第一个以普通复印机出名。

以“可乐”⊖这个词为例，由于可口可乐的成功，“可乐”这个别名获得了语义学家所谓的第二义。

你会不会用含义为“煤在空气隔绝情况下燃烧后的残余物”的词或者致幻可卡因的俗称命名一种软饮料呢？

由于“可乐”的第二义太强了，可口可乐公司丝毫不用担心它那些负面含义。

但是，为新产品起一个新创的、无意义的名字（如凯兹、克莱尼克斯和卡特克斯等）至少是要冒风险的，只有在你的产品既是全新的又是广大消费者急需，而且其名字也是第一个进入人们心智的情况下，你才有资格起一个无意义的名字。

当然，在这种情况下，起什么

“One”在品牌命名中是用得最滥的一个词，对任何产品来说都不是个好名字。除了Pepsi One（可惜还没有推广开来）之外，还有Bank One、Channel One、CommerceOne、eOne、Fiber One、Global One、美孚1、Network One、OgilvyOne、One 2 One、One Health Plan、One. Tel、OneCoast、One point、OneSoft、Oneworld、PureONE、Purina One、Radio One、Schwab OneSource、Source One、Square One、StratumOne、VerticalOne、V-One、和Westwood One，等等。

没有比当今众多的dot.com更无意义的名字了，几乎谁也不可能记住这些名字。

⊖ Coke，该英文词亦有“焦碳”和“可卡因”的含义。——译者注

名字都行。

鉴于此，还是坚持用普通的描述性词汇，如喷洗（Spray'n Wash），别用新创的字眼（如Qyx）。

通常，五个用得最多的字母是S、C、P、A和T，用得最少的五个是X、Z、Y、Q和K。8个英语词里就有一个是以S开头的，而以X开头的词3 000个里才有一个。

坏名字也能变成好名字

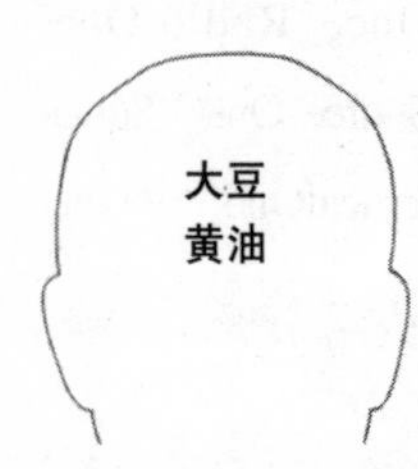

这仍然是一个很好的定位理念。人造黄油一向被看做是假黄油。既然心智中一旦有了印象就难以改变，克服负面意义的更好的办法是换一个名字。"大豆黄油"是一种真正的黄油，不同的只是它是从大豆而不是牛奶里提炼出来的罢了。

科学技术不断创造出新的、改进型的产品。然而，这些产品往往在问世的时候就因起了个跟风的二流名字而受到损害。

以人造黄油（margarine）为例，该产品尽管已经问世好几十年了，但至今仍被人看做是假黄油（欺骗"大自然母亲"可不好）。

如果从一开始就起个好名字，情况会好一些。人造黄油原本应该叫什么？不如就叫"大豆黄油"（soy butter）。

像人造黄油这样的名字有一个心理上的问题，那就是有欺骗性，即掩盖了产品的本源。

人人都知道黄油是从牛奶里提炼出来的。那么，人造黄油是用什么做的呢？由于制造产品的原料被掩盖了，潜在客户就会推测，人造黄油里肯定含有什么不好的成分。

公开产品的本质

克服消费者负面反应的第一步是把产品的本质公之于众，专门用一个像“大豆黄油”这样的含负面意义的名字来彻底扭转局面。

这样就可以进行长期广告项目，宣传大豆黄油相对于牛奶黄油的优势。这种项目的要点是“以原料为荣”，这一点正是大豆黄油这个名字所包含的（在这方面，花生黄油就有这层含义）。

从“有色人种”到“黑鬼”再到“黑人”，这个变化过程所反映的就是同样的原则。

“黑鬼”[⊖]是一个人造黄油式的名字，背上这个名字就永远属于二等公民，“有色人种”不足以完全改变这种态势，它暗示着肤色越浅越好。

“黑人”这个名称就好得多，他能使人逐渐“以黑皮肤为荣”，这是走向长期平等的重要的第一步（你也许愿意当白人，可我喜欢当黑人）。

在给人或者产品起名字的时候，不应让竞争对手不正当地抢先占用

“非裔美国人”这个词组尽管有点长，但它的好处是把重点从肤色转移到了传统上。这是策略上的又一次改进。

你如果想改变人们根深蒂固的观念，通常要做的第一步是换个名字。

⊖ 英文Negro没有直接体现肤色。——译者注

你要用来描述自家产品的那些词语。比如假黄油案例中的“黄油”一词，或玉米糖浆案例中的“糖”字。

几年前，科学家发现了一种从玉米淀粉中提取甜味剂的方法，其结果是出现了几种产品，分别叫做右旋糖、玉米糖浆和高果糖玉米糖浆。

如果使用“高果糖玉米糖浆”之类的名字，在市场上就会被人家拿去与蔗糖即“真正的糖”相比，并被认为是仿制品或低人一等的东西。于是，玉米糖浆的主要供应商之一玉米制品公司决定称这种甜味剂为“玉米糖”。这样，公司就可以把玉米放在与甘蔗和甜菜平等的位置上。

“请比较一下这三种糖，”该公司的广告说，“甘蔗、甜菜和玉米。”

营销人应该知道，联邦商业委员会主管着许多行业的通用术语，但它是可以被说服的。“如果我们不能称其为糖，那么我们能不能在

这是我们为玉米制品公司做的广告。它所代表的策略几乎可以用在任何一个一开始给人负面印象的产品上面。具体方法是，想办法站在同一起点上。别说你的产品更好，只说你的产品具有不同之处：总共有三种糖，任顾客挑选。

政界的极右派熟知这一原则。“历史保护协会”是民权组织的死对头。

主张生育还是主张选择

在人工流产问题上对立的两方挑选的都是尽可能说明其立场的字眼。挑选什么样的“战斗口号”是你要做出的最重要、最关键的策略。要三思而定。

软饮料里添加玉米糖浆，并且称其为‘无糖’产品呢？”

各种特殊利益集团承认好名字的威力。“生存权”运动和“公平贸易”法就是其中的两个例子。

又有哪位国会参议员或众议员敢反对“大气保护法”议案？

要想反对“公平贸易”之类广为接受的观点，不要给竞争对手重新命名，这一点很重要。重新命名只会让人们困惑不解。

为了抵制消费者已经广泛接受的公平贸易法，反对派试图称他们的法案为“维持价格”法，许多州在实行公平贸易法好多年后才废止了它们。

更好的策略是给名字换一个说法，也就是说，用同样的词语把意思颠倒过来，从而给原先的概念重新定位。

“对商家公平，对消费者却不公平”就是这种策略的例子之一。

更好的策略是在强大的名字立足之前就对它进行重新定位。“维持价格”这个拦截战略有可能管用，但只是在事情的开始阶段。这是成为第一之重要性的又一例证。

好名字和坏名字

尽管人们普遍认为这“不过是个名字而已”，但越来越多的证据表明，人的名字在其一生当中意义重大。

赫伯特·哈拉里博士和约翰·麦克戴维博士是两位心理学教授，他们想了解小学生为什么会给人起一些不寻常的名字来拿同学寻开心。

于是，他们对各种名字进行了实验，把这些名字放在据称是小学四、五年级学生写的作文上，其中有两组名字特别能说明这一现象。

从一些作文里可以发现，有一些大众化的名字（如戴维和迈克尔），也有一些冷僻的名字（如休伯特和埃尔默）。他们把每篇作文分别交给不同小组的小学老师打分（参加这次实验的老师没有理由认为他们批改的不是普通的学生作文）。

你会相信由叫戴维和迈克尔这两个名字的学生写的作文平均得分，比叫埃尔默或休伯特写的作文要高出一级吗？“老师们从以往经验中总结出来的是，”两位教授说，“叫休伯特或埃尔默的学生通常是失败者。”

那些名字古怪的著名人物情况又如何？例如，休伯特 · 汉弗莱和艾德莱 · 斯蒂文森。他俩都败给了叫理查德和德怀特这两个大众化名字的人。

假如理查德 · 汉弗莱与休伯特 · 尼克松竞选，美国人会选休伯特 · 尼克松吗？

叫吉米、杰里、理查德、林顿、约翰、德怀特、哈里、富兰克林都行。自从赫伯特当选以来，白宫的历届主人没有一个叫属于“失败者”的名字的。

Ronald Reagan
Robert Redford
Marilyn Monroe

压头韵也是个行之有效的命名策略，因为这样名字更易记。品牌名和人名都可以这样做。留心一下有多少名人的姓名互相压头韵，这也是件很有意思的事。

赫伯特 · 胡佛[⊖]在1928年击败

⊖ Herbert Hoover，1929～1933年任美国总统。——译者注

的是谁，又是一位起了个失败者名字的：阿尔弗雷德。

1932年，赫伯特的对手起的是“胜利者”的名字：富兰克林，所以他败下阵来了，而且大败而归。

你能从一个叫埃德塞尔的人身上期望什么吗？在福特公司推出埃德塞尔牌汽车之前，它就是个失败者的名字。[㊀]就是这个名字导致了营销上的大灾难。

再以西里尔和约翰为例。根据心理学家戴维·谢泼德的说法，人们即使不认识叫这两个名字的人，仍然会觉得西里尔是个鬼鬼祟祟的家伙，而约翰则是个可以信赖的人。

你看到的是你想看到的。一个坏名字或者不合适的名字会引起一连串反应，这些反应只会巩固你原先就有的不好的印象。

埃尔默是个失败者。瞧见了吧，那件事他做得不是很好。我对你说过他不行。

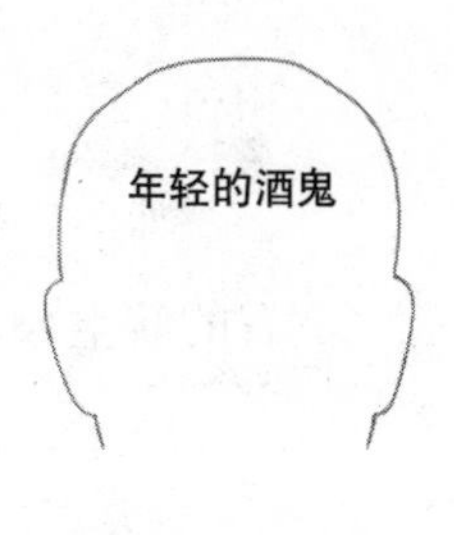

这不是我们编造的故事。我们只是如实相告。假如你的父母给你起名叫年轻的酒鬼（Young J. Boozer），你怎么办？据我们了解，大多数人会平心静气地接受这个事实。“因为这是我的名字，所以我就用它了。”别犯傻，换个名字吧。假如马里恩·莫里森不改名为约翰·韦恩，他能成为历史上最有名的电影明星吗？我们觉得不可能。

说一件真事。一家纽约银行里有个名叫杨·布泽[㊁]的职员。有一回，一位顾客打电话找“杨·布泽”，接线员告诉他说：“我们银行里有好几个年轻的酒鬼。你要找哪一个？”

㊀ 埃德塞尔是福特过早去世的儿子的名字。——译者注

㊁ 杨·布泽，Young J.Boozer，英文有“年轻的酒鬼”之意。——译者注

航空公司的糟糕名字

名字是信息和心智之间的第一触点。

决定信息有效与否的，不是名字在审美意义上的好与坏，而是名字起得合不合适。

以航空业为例。美国最大的四家航空公司分别是联合（United Airlines）、美国（American Airlines）、环球（Trans World Airlines）和……

那么，借用一则航空公司的广告用语，你知道“在自由世界所有的航空公司当中排行第二的客运公司”的名字吗？

对了，是东方航空公司（Eastern Airlines）。

东方航空和所有的航空公司一样，也经历过大起大落。不幸的是，大落多于大起。在四大美国航空公司中，东方航空在旅客调查中一直名列第四。

为什么？因为东方航空是一个地区性名字，所以它在潜在客户的心智中属于不同的类别，有别于那些大的全国性名字，如“美国”和“联合”。

东方航空的名字使自己被归入同Piedmont、Ozark和南方航空公司（Southern）一样的类别。

你看到的就是你想看到的。在美航或联航有过不愉快经历的旅客会说：“又遇上这种事了。”那种经历成了他们所预想的良好服务中的意外事件。

在东方航空经历过不快的旅客会说：“又是东方航空。”这成了他们所预料的糟糕服务的再现。

东方航空并不是没有努力过。几年前，东方航空招聘了几位一流的营销专家，全力进行改革。它是第一批“给飞机换装”、“提高食品质量”和“精心打扮空姐”的航空公司之一，目的是提高自己的声誉。

东方航空在花钱方面也不吝啬。年复一年，它的广告开支在全行业中一直名列前茅。最近一年，东方航空仅广告费就达20 000 000美元。

尽管它花了这么多钱，你对东方航空是怎么看的？你认为它的航线都有哪些？沿东海岸向北或向南，飞往纽约、波士顿、费城、华盛顿、迈阿密，对吧？

20年来，我们一直提及东方航空的名字问题，直到它在1989年3月按照破产法第11章倒闭为止。弗兰克·博尔曼（Frank Borman）在担任东方航空总裁期间，曾写信给我们，承认公司的名字“多少带点地方性，而且在某些情况下难以引起全国注意。”但他又指出，“这个名字已经叫了47年了。”一个坏名字不管用了多少年也不会变成好名字。

此外，东方航空还飞往圣路易斯、新奥尔良、亚特兰大、丹佛、洛杉矶、墨西哥的阿卡普尔科和墨西哥城。

我们从东方航空的一个目的地印地安纳波利斯来看看东方航空所面临的问题。东方航空从印地安纳波利斯向北飞到芝加哥、密尔沃基、明尼阿波利斯等地。向南飞往路易斯维尔、亚特兰大、劳德代尔堡。偏偏就没有往东的航线。

再有，东方航空还有一条经营了30多年的飞往波多黎各首府圣胡安的豪华航线。过去，在该市场上，它的份额最大，后来，美航收购了泛加勒比（Trans Caribbean）航空公司。到如今，谁成了圣胡安航线的老大？当然是美航。

1969年，我们为Mohawk航空做了一场报告，说明他们为什么应该换一下公司名称（Mohawk若用在发型上是个好名字，用在航空公司上则不然）。1972年，Mohawk与Allegheny合并后，我们又敦促这家合二为一的公司换个名字。我们的论点之一是："你们正好要重新给一半的飞机喷漆，"且不提那个旧名字还有个外号叫"痛苦的航空公司"。可惜他们不听，还是用Allegheny这个名字。（Allegheny、Piedmont、Ozark，为什么那么多航空公司要用山脉的名字来命名？）1979年10月，该公司总算面对现实，把名字改成了USAir航空公司。如今，USAir在高高飞翔，而东方航空却已坠落。反对意见总是那样：问题不是出在名字上，而是出在产品、服务、价格上。这根本不对。问题出在对产品、服务、价格的认知上。坏名字不会产生好认知。

你不会把"人类之翼"的头衔挂在一家地区性航空公司的名下。如果让潜在客户选择，他们只会选全国性航空公司，不会去选一家地方性航空公司。

这个问题虽然发生在航空业里，但它也是人们在区分现实和观念时经常会遇到的难题。许多经验丰富的营销人对东方航空的情况看法恰好相反。

"东方航空的失败与名字无关，"他们会说，"是服务欠佳、食品低劣、行李处理不当以及空姐面无笑容所造成的。"认知就是现实。

你对Piedmont航空公司又是怎么看呢？还有Ozark、Allegheny航空呢？在一项针对常旅行的客人的调查中，3%的人说尽量不坐美国航空，3%不坐联合航空。但是有26%的人说他们尽量不坐Allegheny航空公司的飞机，38%不坐东方航空。

不错，Allegheny航空认账了，改名叫USAir航空公司，甚至连北方中央航空公司和南方航空公司也退让了，两家在1979年合并，变成现在的共和航空公司。等着看它们腾飞吧。

阿克伦的双胞胎

另一个常见的命名问题发生在两家总部设在俄亥俄州阿克伦市的公司身上。

如果一家公司的名字（Goodrich，固特里奇）和同行业中一家大型公司（Goodyear，固特异）相似，它该怎么办？

固特里奇公司问题很多，调研结果表明，它能重新发明轮胎，但从中受益最多的却是固特异公司。

固特里奇公司无疑认识到了这个问题，以下是该公司在一年半前的一则广告里对这一问题的解释：

本杰明·富兰克林·固特里奇栽在它的名字上，老天爷太不公道，偏偏让我们最大的对手的名字和本公司缔造者的名字相近，一个叫固特异，一个叫固特里奇，太容易混淆了。

广告的最下面写道："如果你想找固特里奇，就得记住固特里奇这个名字。"

换句话说，这根本不是固特里奇的问题，而是你自己的问题。

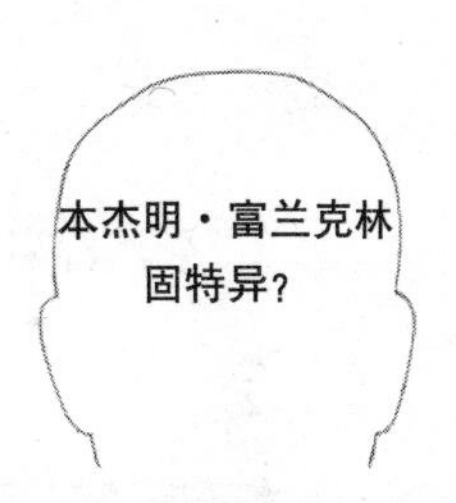

许许多多的公司和固特里奇一样，都需要换个名称。问题是，如何改变公司的名字？最坏的做法是花好几百万美元从外面请一家机构设计名字，这样做能拿到一些花哨的名字，如Agilent、Aventis、Navistar、诺华（Novartis）等（其中，Navistar公司最近又改回到国际（International）这个老名字了）。你通常应该做的是，开发出一个最终能用来做公司名字的产品品牌名称。比如，固特里奇就应该采取这样的战略：推出一个好品牌，最终用它做公司的名称。

固特里奇公司是第一家在美国国内销售钢带子午线轮胎的企业。可是，几年之后，在回答这种轮胎是哪家公司生产的时候，56%的购买者都说是固特异；而该公司并没有在国内市场销售这种轮胎。只有47%的顾客说是固特里奇生产的。

正如阿克伦人所说的那样："固特里奇发明、凡世通研制、固特异销售。"1968年，固特异公司的销售额为29亿美元，固特里奇公司只有13亿美元，两家的比例是2.2∶1。1978年，也就是10年后，固特异的销售额为74亿美元，固特里奇为25亿美元，2.9∶1。于是，富者越富，很公平。

然而奇怪的是，失败方的广告仍然随处可见。"我们是另一家公司"这句话在新闻界引起不少关注，但没有引起消费者的关注。单单这个名字就让固特里奇败在强大的对手面前。

固特里奇如今还处于劣势。

托莱多三兄弟

如果阿克伦的双胞胎似乎容易混淆，那就再看看托莱多市三胞胎的麻烦吧，它们是欧文斯-伊利诺伊公司（Owens-Illinois）、欧文斯-康宁玻璃纤维公司（Owens-Corning Fiberglas）和利比-欧文斯-福特公司（Libbey-Owens-Ford）。

这三家都不是小公司。欧文斯-伊利诺伊公司价值20亿美元、欧文斯-康宁玻璃纤维公司价值10亿美元、利比-欧文斯-福特公司则将近10亿美元。

先从欧文斯-康宁玻璃纤维公司的角度看一下这个同名的问题。

“欧文斯”通常自然和伊利诺伊州相关，欧文斯-伊利诺伊公司由于是三兄弟中的老大，更有权叫“欧文斯”这个名字。

而“康宁”通常与玻璃纤维相关。附近的纽约州康宁市有一家康宁玻璃制造公司，它也是一家身价10亿的企业，而且成功地把“康宁”这个名字牢牢地与玻璃这个概念连接到了一起。

那么，给欧文斯-康宁玻璃纤维公司还剩下什么呢？

玻璃纤维。

这也许就是该公司在广告中说“欧文斯-康宁就是玻璃纤维”的缘故。换句话说，如果你想买玻璃纤维，只要记住“欧文斯-康宁”就行了。

如果该公司把名字改为“玻璃纤维公司”(Fiberglas Corporation)，事情要容易得多，这样的话，如果你想买玻璃纤维（fiberglass），只要记住“玻璃纤维公司”就行了。将通用名称转化为一个品牌名，使消费者把注意力集中到公司的主要业务上。

如果你的名字叫休伯特、埃尔默、东方、固特里奇或欧文斯-康宁玻璃纤维该怎么办？改掉它。

道理虽说如此，改名字的事却不常见，大多数公司认为它们现有的名字含有太多权益，“我们的顾客和雇员决不会接受新名字的。”

叫奥林（Olin）、美孚（Mobil）、优耐陆（Uniroyal）和施乐这些名字怎么样？叫埃克森公司又如何？就

1992年，欧文斯－康宁玻璃纤维公司接受我们的建议，给公司换了个名字。不幸的是，他们用的新名字恰好和我们的建议相反：去掉了“玻璃纤维”，改成“欧文斯－康宁公司”。

有史以来最顺利的公司改名过程当属把新泽西标准石油改为埃克森了。这其中有个3关键点：(1)公司的规模。目前，埃克森是美国第四大公司，而且与美孚公司合并后，应该成为全美第二大公司。你如果是家大公司，改变公司名称可以引起媒体的极大关注。换言之，媒体会为你做宣传工作。(2)“埃索”和“埃克森”这两个名字相似。预期客户会在心智中把两者联系在一起。(3)“埃克森”这个新名字在街头随处可见。数以千计的加油站在一夜之间换了名字，准会在汽油消费者心智中留下深刻的印象。

在几年前，埃克森还叫……来着。

且慢，诸位还记得埃克森原先叫什么来着？不对，它原先不叫埃索（Esso)、也不叫汉布尔石油（Humble Oil）或恩杰伊（Enjay)、尽管它以前的确在营销活动叫过这些名字。

埃克森公司的旧名字是新泽西标准石油公司（Standard Oil of New Jersey)，有意思的是，它的名字才改了没几年，而且也没为此花多少钱。

坏名字是负资产。名字不好，情况只会变得更坏。名字好，情况往往会变得更好。

混淆不清的“大陆”

你知道价值39亿美元的大陆集团有限公司（The Continental Group Inc.）和价值31亿美元的大陆公司（The Continental Corporation）之间的区别吗？只有在知道大陆集团是世界上最大的罐头制造公司而大陆公司是一家大型保险公司之后，许多人才弄清了两家之间的区别。

“呵，原来一家是大陆罐头公司，另一家是大陆保险公司。现在我知道这两家公司都是干什么的了。”

企业为什么要放弃“罐头”和“保险”这两个词，却喜欢用“集团”和“公司”这两个不说明问题的词呢？答案显然是它们不只是卖罐头或保险。

然而，用一个毫无意义的名字就能建立身份吗？不大可能，尤其是别的公司也在用“大陆”这个名字的时候，如大陆航空公司，接着还有大陆石油、大陆电话和大陆谷物等，且不提大陆伊利诺伊公司（顺便提一句，这些全都是身价数十亿美元的公司）。

再设想一下，如果经理对手下的秘书说“给我接通大陆公司的电话”时，这位秘书该怎么办。

这还不只是限于“集团”或“公司”的范围。仅仅在曼哈顿一地的电话簿上，就有235个名称里有“大陆”二字。

大陆集团和大陆公司如今都不再是独立的企业了。大陆集团把名字改了回来，还叫“大陆罐头”，并且变成了一家奶制品和包装企业——Suiza食品公司的分部。可是，这些公司从不接受教训。最近，大陆谷物公司把名字竟然改成了大陆集团联合公司（ContiGroup Companies）。

过犹不及的名字

名字太形象、太具指向性，有时会过犹不及，尤其是用在大众消费品领域。

来看看瘦身产品间的竞争。以米德·强生公司（Mead Johnson’s）的Metrecal和Carnation’s公司的苗条（Slender）为例。

尽管Metrecal抢先上市，在营销上取胜的却是苗条。

苗条这个名字指明了使用该产品的好处，比Metrecal有效得多，因为后者是一台IBM计算机发明的词。

健怡可乐的推广活动可能是有史以来最有里程碑意义的失误之一。可口可乐公司其实并不需要一种新的低热量可乐，因为它早就有一个地位领先的低热量可乐品牌了，那就是Tab（健怡可乐推出时，Tab的销量已经超过低糖百事32%）。公司只把天冬甜素[1]用在健怡可乐里，这样做恰恰把Tab这个品牌送上了绝路。而且健怡可乐现在的销售已经下滑（Mountain Dew成功地跃居第三，成为排在老配方可口可乐和百事可乐之后的最大的软饮料公司）。像可口可乐这样的加糖软饮料还能在市场上风光多久？谁还会去喝一种既没营养也不含矿物质、只有150空卡的“提神液体”呢？从可口可乐过渡到Tab会比从传统可乐过渡到健怡可乐容易得多，因为Tab没有“低热量”这个词所含的负面意义。

不过，在大众消费的低热量产品上，你千万要小心。无热量（NO-Cal）软饮料决不会有很大成功。谁会去饭馆要一份无热量可乐？坐在旁边桌子上的人很容易这样去想：“那胖子。”

如果要一杯Tab会好得多。

“每次必喝的Tab送到后，”《纽约时报》最近写道，“纽约大学的这位校长便坐下来开始吃工作午餐。”

假如知道记者也会去那家饭馆，这位校长会不会要一份“健怡可乐”？

林顿·约翰逊担任总统期间，在他的内部电话上有一个专门点Fresca饮料[2]的按钮；尽管人人都知道这件事，但他好像并不在乎。

给低热量和低价产品起名字一定要小心，在暗示其好处时话别说过头。一旦含义太露骨，反而会把潜在客户给赶跑了。

---

[1] 一种低热量代糖物质。——译者注

[2] 含有微量卡路里的健怡饮料。——译者注

POSITIONING

第10章

无 名 陷 阱

使用WU而不用西部联盟的情况只出现在该公司内部。原因之一是：公司内部的人觉得用字母缩写比直呼其名更时髦。于是，在西部联盟，你不仅会听到人们用WU，还会听到用WUCO（念做“吾酷”）来简称西部联盟公司（我们当然知道这种叫法，因为我俩为该公司干了十多年）。把内部的行话翻译成局外人能明白的语言，这是客户的广告和公关公司的工作之一。

“我要去LA，”公司经理会这样说：“然后还得去一趟纽约。”人们为什么管洛杉矶叫LA，却很少有人管纽约叫NY？

“我在GE干了几年后，又去了西部联盟（Western Union）。”为什么通用电气公司被称作GE，而西部联盟公司却极少被人叫做WU？

人们常常把通用汽车公司叫做GM，把美国汽车公司叫做AM，却几乎无人称福特汽车公司为FM。

发音缩写

这里面有一个原则，叫做发音首字母缩写。

“Ra-di-o Cor-po-ra-tion of A-mer-i-ca”（美国广播公司）长达12个音节，怪不得大多数人都用三个音节的简称R-C-A。

“Gen-er-al E-lec-tric”（通用电气公司）有六个音节，所以大多数人都用两个音节的G-E。

“Gen-er-al Mo-tors”（通用汽车公司）往往首字母缩写为GM，“A-mer-i-can Mo-tors”（美国汽车公司）常被人称为AM，而“Ford Mo-tor”（福特汽车公司）却几乎无人叫它FM，因为只要说出一个音节的“Ford”就足够了。

如果没有发音上的便利，大多数人不会去用首字母缩写的。纽约和NY都是两个音节，所以NY这个首字母缩写常常用在书面上，却很少用在口头上。

“Los An-ge-les”（洛杉矶）有四个音节，所以常常被首字母缩写为LA。请注意，“San Fran-cis-co”有四个音节，却很少被首字母缩写为“SF”。为什么？因为大家用了一个非常合适的双音节词（Frisco）作为旧金山的首字母缩写。这也是大家不管“New Jersey”（新泽西）叫“NJ”而是叫“Jer-sey”（泽西）的缘故。

如果既可以用一个词也可以用一组首字母做名称，两者的音节又一样多，人们总是愿意用词而不是首字母。

音节的长短有时不像表面上那样简单。缩写WU看上去比“西部联盟”这个名称短很多，而实际上两者的音节一样多：Dou-ble-U U，West-ern Un-ion（除了W以外，所有的英文字母的发音都只有一个音节）。

客户选择公司名称倾向于发音导向，而他们谈论的这家公司的看法却不同。**公司是视觉导向，为了提升名字的视觉效果费尽周折，却没有考虑到它听上去如何。**

视觉缩写

商业人士也会落入同样的陷阱。最先发生变化的是姓。假如有个叫埃德蒙·杰拉尔德·布朗（Edmund Gerald Brown）的年轻人在通用制造公司（General Manufacturing Corporation）开始进入管理层，他的名字在公司内部信件和备忘录里立刻会从普通雇员共用的GMC变成E. G. 布朗。

不过，要想出名就别用首字母缩写，这一点大多数政客都很明白。假如我们这位埃德蒙·杰拉尔德·布朗当上了州长，他会自称杰里·布朗而不是E. G. 布朗。E. M. 肯尼迪和J. E. 卡特则自称为特德·肯尼迪和吉米·卡特。

FDR和JFK又是怎么回事呢？该原理的例外是，一旦你成了天下第一、名声远扬，名字再用缩写就不会有歧义了。富兰克林·德拉诺·罗斯福（Franklin Delano Roosevelt）和约翰·菲茨杰拉德·肯尼迪（John Fitzgerald Kennedy）只是在出名之后才使用首字母缩写的，而不是在这之前。

其次发生变化的是公司名。一开始用于保存文件和节省打字时间的书面缩写最后会变为成功的代号。

如IBM、AT&T、ITT、P&G、3M等。有时，能否名列《财富》500强似乎取决于公司有没有众所周知的缩写名称，即向世人表明你已获得成功的符号。

事情总是越变越糟。我们在1980年写这本书的时候，《财富》500强名单上只有27家“无名”公司，现在却有了44家。以下是这些公司的名单：AMP、AON、AT&T、BB&T、BJ’s Wholesale Club、CBS、CHS Electronics、CMS Energy、CNF Transportation、CSX、CVS、DTE、EMC、FDX、FMC、FPL、GPU、GTE、IBP、IMG Global、ITT Industries、KN、LG&E Energy、LTV、Holding、TIAA-CREF、TJX、TRW、UAL、US Bancorp、U.S. Foodservice、USG、U.S Industries、U.S. Office Products、USX和VF（你不得不佩服有家公司居然自称TIAA-CREF。不知道TIAA-CREF怎样才能变成一个家喻户晓的名字）。

于是，我们如今有了RCA、LTV、TRW、CPC、CBS、NCR、PPG、FMC、IC Industries、NL Industries、SCM、U.S. Industries、AMF、GAF、MCA、ACF、AMP、CF Industries、GATX、UV Industries、A-T-O、MAPCO、NVF、VF、DPF、EG&G，还有（信不信由你）MBPXL。

它们都不是微不足道的小公司，都名列《财富》500强榜单，如果从此榜单中挑选出使用全名的公司，你会发现，这些公司更知名。

它们都不是些微不足道的小公司，而是目前在《财富》杂志500家最大工业公司名单榜上有名的企业。名单上最小的公司EG&G去年的销售额就达3.75亿美元，有雇员13 900人。

如果挑选出在《财富》 500强名单中紧挨在每一个使用缩写名的公司之后的企业，你会发现它们是：Rockwell International（洛克威尔国际）、Monsanto（孟山都）、National Steel（全国钢铁）、Raytheon、Owens-Illinois、United Brands，American Cyanamid，Reynolds Metals，H.J.Henz（亨氏）。Interco，Hewlett-Packard（惠普），Carrier，Marmon，Polaroid（宝丽莱）、Diamond International（戴梦得国际）、Blue Bell（蓝铃），Sperry & Hutchinson，Witco Chemical，Spencer Foods，Pabst brewing，Cabot，Hart Schaffner & Mark，Culter-Hammer，Gardner-Denver，Questor，Arvin Industries和Varian associates。

哪份名单上的公司知名度更大些？当然是那些用全名的公司。

有些使用缩写的公司如RCA和CBS也为人熟知，但是它们就像FDR和JFK一样，这些公司在使用缩写以前就已经广为人知了。

看到GE这两个字母时，你脑子里就会联想到"通用电气"。说说你能记住的缩写（如JFK、FDR、IBM，等等），再看看自己能否记得它们的含义。通常，只要是能记住的缩写，你就能说出其含义。只有使你的名字出名之后，才能使你的简称出名。

为证实这一现象，我们借助《商业周刊》的一份订阅名单就用"全名"和用"缩写"的公司搞了一次调查，结果表明使用全名更好。

调查对象对用"缩写"的公司的平均知晓率为49%，而对比组对用"全名"的公司的平均知晓率为68%，高出19个百分点。

是什么原因驱使大公司采取这种自杀性行为？其中一个原因是，公司最高管理层已经看惯了印在内部备忘录上的公司首字母缩写，很自然地以为人人都知道MBPXL。另外，他还误解了像IBM和GE这样的公司取得成功的原因。

成功无捷径

公司只有在广为人知之后才能使用缩写。GE这个首字母缩写显然能使人在心智里联想到"通用电气"这几个字。

不管怎样，人们必须知道全称才能理解首字母缩写。联邦调查局和国内税收署在美国家喻户晓，因此我们一看到FBI和IRS这两个缩写就能马上联想到这两个政府部门。

但是，对HUD的反应就慢多了。为什么？因为大多数人不知道这个住房与城市发展部（Department of Housing and Urban Development)。因此，这个部门若想提高知名度，首先得提高"住房和城市发展”这个名称的知名度。想只用HUD这个缩写来走捷径是没什么效果的。

同样，通用苯胺与薄膜公司（General Aniline & Film）不是个很有名的企业，公司把名字改成GAF的时候，就注定这家公司不会出名了。如今，GAF按照法律手续正式将名字改为首字母缩写，大概再也没法让潜在客户了解公司的原名了。

自然，作为一家公司，RCA如今已不复存在：它被通用电气买下了。公司简称即便能在短时间内代表一定的含义，从长期来看，这样通常会削弱公司的地位。我们预计在上几页里提到的“无名”公司当中，有许多会逐渐出局，通常是被更强的竞争对手买下。绝不要在这个问题上犯傻。首字母缩写会削弱品牌甚至公司名声。

不过，很多公司都使用了首字母缩写。它们没有想过如何在人们心智里给自己定位，因而成了风尚的受害者。

毫无疑问，当今的风尚是“首字母缩写”。一看到RCA，人人都知道它代表美国广播公司。所以，该公司能够用这个缩写来激发深植于人们脑中的“美国广播公司”这几个字。

既然RCA已经成了合法化名称，以后还会有什么事情发生？不会有了，至少在今后10年左右的时间里不会有了。这些词语早就深植在千百万人的心智中了，而且会永远在那里扎根。

可是，下一代潜在客户会怎样呢？他们看到RCA这个陌生的缩写会怎么想？

它会不会指“罗马天主教大主教区”（Roman Catholic Archdiocese）？

定位是终生的事业，是长期的过程。现在取的名字，其效果也许要到很多很多年之后才会显现出来。

心智靠耳朵运转

大脑靠耳朵运转

“心智靠耳朵而不是靠眼睛来运转的。”这是本书提出的最有用的基本观点之一。你在脑子里存入图像之前，先得把它转化成声音。我们研究过的每一次成功的定位项目都是以听觉而非视觉效果为主导的（如“往小里想”、“安飞士是第二”，等等）。这不是说不能用图像或画面，而是说用这些图像的目的是为了让文字进入人们的心智。

名字选择错误不断，其主要原因是公司经理们每天都生活在纸张的海洋里：信件、备忘录、报告。在施乐复印机创造的大海里游泳的时候，很容易忘记心智是靠耳朵来运转的。要想说出一个词，我们先得把字母转变成声音。这就是初学者在看书时嘴唇会动的原因。

你小时候是先学会说话，后学会阅读的。学习阅读是个缓慢又费力的过程，要通过将词语大声读出才能把书上的词和已经储存在脑子里的发音联系到一起。

相比之下，学说话比识字要省力多了。我们直接把声音存在脑子里，随着思维灵活度的提供，就能用不同的组合方式把它们重新说出来。

长大一些后，你学会了把书上的字迅速转变成大脑需要的口头语言，这一过程快得使你根本意识不到它的存在。

然后你从资料上得知，80%的学习是通过眼睛进行的。当然是这样。但是，阅读只是学习过程的一部分。许多的学习来自于视觉线索，这种学习过程和传统意义上的阅读没有关系，比如通过“阅读”身体语言便能了解别人的情绪状态一样。

在阅读文字时，书面词语只有通过脑子里的视觉—听觉转化机制从字面转变成听觉意义才能被理解。

同样，音乐家要学会一边看乐谱一边听在自己脑子里产生的声音，就像听到有人在乐器上弹奏那个曲调似的。

不妨试试默背一首诗，你会发现朗诵容易得多。

这就是为什么不光是名字还包括标题、口号和主题都应该从听觉上加以检验的原因，即使你打算只把它们用在印刷材料上，也应这样做。

你觉得休伯特和埃尔默这两个名字不好听吗？如果有这种感觉，那你一定试过把这些书面的词语转换成发音了。这是因为休伯特和埃尔默看上去并不差，只是听起来不顺耳。

从某种意义上说，纸媒体（报纸、杂志、户外广告）先行，广播

然而，许多广告公司仍然推崇视觉效果。它们喜欢制造出稀奇古怪的图像，而这种图像只会分散公众的视觉注意力。

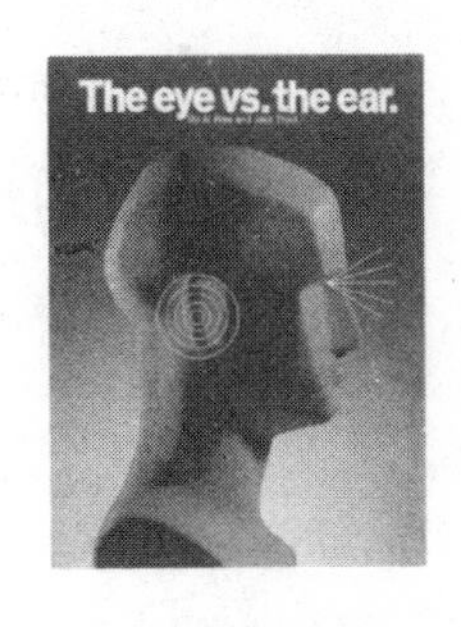

我们后来运用这个观点为广播广告局做了一份题为“眼睛vs.耳朵”的演讲。广播才是真正的主媒体，“口碑”则是主要的传播工具。具有讽刺意味的是，实际上当今整个广告业都以视觉广告为主体。“一图当千字”成了麦迪逊大街上的行业口号（这正是可口可乐用北极熊、百威啤酒用蜥蜴、劲量电池用兔子作为产品形象的缘故）。

随后的做法实在不可恭维。**电台广播才是首选媒体。平面广告则抽象得多。**

如果把信息设计到广播广告里之后再印刷出来，效果就会“听上去更好”，可是，我们通常是反其道而行之，先做成平面广告，然后才在收音机里播放。

过时的名称

公司放弃全称，启用首字母缩写的另一个原因是，名字本身已经过时。RCA公司除了收音机之外，还制造许多别的产品。

那么，联合鞋业机器公司（United Shoe Machinery）的情况如何？它当时已经发展成了一家大型联合企业。但是，由于进口货所占比重持续增长，美国国内的制鞋机械市场不断萎缩，该公司找了一条简便的出路，把自己的名字改成USM公司，从此以后便在市场上销声匿迹了。

史密斯-科罗纳-马钱特公司（Smith-Corona-Marchant）也是一家丧失公司名称的企业，由于公司与人合并，史密斯不再生产“科罗纳”和“马钱特”牌产品，便决定把企业名称简化为SCM公司。

随着岁月的流逝，AT&T这个名字也在弱化。其中的“电话”还在，而“电报”如今已经成了过时的字眼。

SCM和USM大概都是为了避开由于旧名称过时所带来的不便才改用首字母缩写。然而，实际结果恰好相反。

人们如果不从潜意识中挖掘联合鞋业机器公司的这个名称，便无法记住USM这个缩写。

RCA、USM和SCM至少在音节上比原有的名字短。不然，问题会更大，而且要大得多。玉米产品公司（Corn Products Company）把名称改为“CPC”之后，发现很少有人辨认得出CPC这个名字。这个缩写在发音上并不比“Corn -Pro-ducts”短，都是三个音节。所以，CPC这个首字母缩写在之前很少有人用。诸位不妨问一下该行业的人知不知道CPC国际公司，看看他们是否会说“啊，你是说玉米产品（Corn Products）公司吧？”

在我们这个到处使用首字母缩写的社会里，心智提出的第一个问题是：“这些首字母缩写代表什么？”

人们见到AT&T这几个字母时会说：“啊，美国电话电报公司。”

可是，如果看到TRW，人们脑子里会产生什么反应？显然，不少人还记得汤姆逊·拉莫·伍尔德里奇公司（Thompson Ramo Wooldridge）。TRW身价30亿美元，常出现在媒体上，也做了许多广告。如果它用全名而不是首字母缩写，那些广告是否效果更好呢？

有些公司把首字母连成串。你能记住VSI公司的子公司D-M-E公司吗？

我们不是说公司不应该改名。恰恰相反。世上没有永远不变的东西。时代在变，产品会过时，市场起起落落，企业合并也是常事。时候一到，公司必须给自己改名字。

美国橡胶公司（U.S. Rubber）是一家全球性企业，它销售的许多产品并非是用橡胶做的。伊顿·耶尔–汤恩公司（Eaton Yale &

Towne）是几家企业兼并而成的，结果弄出来一个名称复杂的大公司。“索科尼–美孚”（Socony-Mobil）则肩负着一个沉重的名字“索科尼”，它原先代表纽约标准石油公司。

这些名字都出于营销上的合理理由而被改掉了。“立足于过去”的老方法产生了USR公司、EY＆T和SM有限责任公司这样三个怪胎。

相反，“忘记过去”树立了三个崭新的现代公司形象：优耐陆（Uniroyal）、伊顿（Eaton）和美孚（Mobil）。这三个名字的营销效果不言自明。三家公司成功地忘掉了过去，把自己定位在将来。

因果不分

尽管问题重重，公司对首字母缩写的迷恋依然如飞蛾赴火。当今世界各地的IBM们的成功似乎证明首字母缩写是有效的。这种典型因果不分的思维由来已久。

公司最好在成功以后再买“湾流”（Gulfstream）V型喷气式飞机。不能颠倒这个过程，先买下飞机，然后想当然地认为这就会使你获得成功。你只有使自己出名后才能用简称，不能把这个因果关系给颠倒了。

国际商用机器公司（IBM）富有且闻名（因），所以，只要你提起它的首字母缩写，人人都知道你指的是哪家公司（果）。

如果你企图把这个过程颠倒过来，它就不管用了。你不能指望一家小有成就的公司使用首字母缩写后（因）就名利双收（果）。

这就如同买豪华汽车和公司专用飞机使公司名利双收一样。你首先得取得成功，才能有钱获得额外利益。

从某些方面说，首字母缩写热代表了一种为了表面上的认可，甚至不惜影响沟通效果的欲望。尽管做了那么多宣传，许多妇女依然认为ERA是一种洗涤液，而非美国宪法的《平等权利修正案》(Equal Rights Amendment)。

再看看以下两家航空公司所采取的截然相反的命名战略。

泛美航空公司（Pan A-mer-i-can Air-lines，七个音节）这个名字的发音很长，于是公司决定将其首字母缩写为“泛美”（Pan Am，两个音节），这比叫缩写PAA强多了，因为PAA比较难记。

环球航空公司（Trans World Air-lines，四个音节）的发音其实比现在使用的TWA（T-Dou-ble-U-A）还要短一点。那么，难道TWA的知名度不高吗？高，但那是靠每年花出的3 000万美元广告费。

但是，尽管TWA的广告费比两家强大的对手——美航和联航都高，调查结果却表明，愿意选择它的旅客只有后两家的一半。TWA这个缩写名称效果不好就是其中原因之一。

环球航空公司（Trans World Airlines）应该使用什么名字？

自从我们写这本书以来，TWA在市场上损失惨重（去年这家航空公司的营业收入为33亿美元，减少了3.53亿）。一系列的损失是从1988年开始的，那是它最后一年盈利。1992年，TWA申请破产。靠首字母缩写建立品牌如同在沙地上盖楼。“别急着下结论，”批评我们的人通常会说。“真正的关键在人、在服务，不在名称。”那为什么不好的服务总是发生在名字起得不好的航空公司里？

当然是“环球”（Trans World），只有两个音节，短小精悍。

首字母缩略词名称与电话簿

有些公司很走运。可能是精心设计，也可能是凑巧，它们名称的首写字母可以形成首字母缩略词。例如，菲亚特（Fiat，全称为Federation Internationale Automobiles Torino，联合国际汽车制造公司）和萨比娜（Sabena，全称为Société Anonyme Belge d’Exploitation de la Navigation Aérienne，比利时航空工业股份有限公司）。

各种组织常常选择含有意义的缩拼词。仅举两例CARE[一]（Committee for Aid and Rehabilitation in Europe，欧洲救助与康复委员会）和EST[二]（Erhardt Sensitivity Training，艾哈特敏感性训练）。

有些公司就不那么走运了。通用苯胺与薄膜公司把名字改为GAF时，显然没有想到这个缩拼词听上去很像“gaffe”[三]这个词。怎么听怎么像。

人们经常忽略的另外一件事是，在取名字的时候如何在电话本中找到它。因为很少在电话本中找自己的名字，所以不会发现要想找到它有多难。

以USM公司为例，在曼哈顿的电话本中，有7页的号码都以US开头，所以，你要在US平版印刷公司和US天然产品公司之间某处才能发现它。

[一] 意为关心。——译者注

[二] 听上去像ease，指轻松舒适。——译者注

[三] 意为失态。——译者注

但是，它其实并不在那里。US代表美国，而USM中的US什么也不代表。按照字母排列标准，电话公司把所有缩写都放在前面了。

一般来说，这个位置很不利。我们从R中选些例子，RHA工业公司、RH清洁公司、RH化妆品公司等，以RH开头的公司有27个。

幸好，越来越多的公司开始认识到这个无名陷阱的种种危害。像MBPXLs这样的首字母缩写会越来越少的。

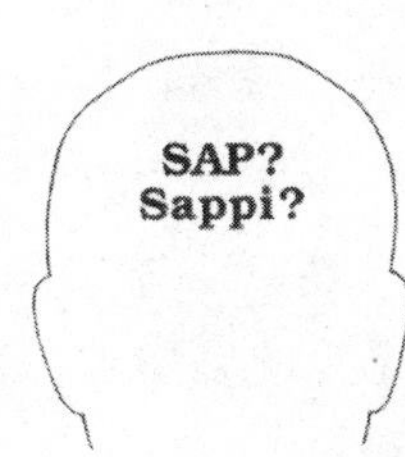

另一家公司的简称SAP，也是个带有不好含义的缩写词[⊖]。该公司眼下固然很成功，因为它生产的ERP软件在当今的高科技领域里十分畅销。但从长期来看，这一名称本身可能会影响公司的业绩。Baan也是一家面临类似问题的同行业公司。以上两个名字都不如Sappi那么糟糕，它是世界上最大的再生涂膜纸生产商。

我们当时的观点是错的。正如我们在早些时候写文章说过的那样，首字母缩写名称至今还在使用，而且不见减少。

⊖ SAP有“笨蛋”的含义，Baan与ban（禁止）一词的发音相似，Sappi与Sappy（愚蠢）一词同音。——译者注

POSITIONING

第11章

搭便车陷阱

我们以一个名叫复方Alka-Seltzer的产品为例，看看我们能否想象出它是怎么得到这个名字的。

一群毛头小子围坐在会议桌旁，讨论给一种专门用来与Dristan和康泰克竞争的新型感冒药命名。

“我想出来了，”哈里说，“就叫它复方Alka-Seltzer吧。这样，我们就能利用我们每年已经为Alka-Seltzer这个名字花出的2 000万美元广告费了。”

“好主意，哈里。”于是，又一个省钱的方案马上被接受了，省钱的方案通常是这样。

而实际情况又如何呢？这种新产品不但没有挤进Dristan和康泰克的市场，反而转过来吃掉了Alka-Seltzer原有的一部分市场。

顾客很容易被弄糊涂。他们对“复方Alka-Seltzer”的第一反应就是，它是在Alka-Seltzer的基础上改进的产品，而不是一种新型感冒药。于是，公司把其中的“Plus”设计得更大。其实，它本该给这个品牌起一个全新的名字。

通常复方Alka-Seltzer的生产商还会重新设计包装瓶，结果Alka-Seltzer的市场变得越来越小，而复方Alka-Seltzer的市场却越来越大。

还不如就叫复方Bromo-Seltzer Plus呢。这样就能抢走竞争对手的业务了。

企业集团

在产品时代，事情要简单一些，因为每家公司都只生产一类产品。知道了名字就知道了公司的业务：

标准石油、Singer音响、美国钢铁、纽约中央铁路、米高梅电影，等等。

但是，科技发展创造了新的机遇，各公司纷纷开始把业务扩大到新的领域里。

于是，便有了企业集团，即不专门生产任何东西的企业。通过开发或收购，这种联合企业随时都可能打入任何一个它认为有钱可赚的领域。

以通用电气公司为例。它从飞机发动机、核电站到塑料制品，什么都干。

RCA公司则从事卫星通信、固态电子组件制造和租车业务。

许多人对联合企业嗤之以鼻，认为公司该“干什么就干什么”。可是，联合企业提供的资本使市场上的激烈竞争得以维持。假如没有那些联合企业，美国就会变成一个半垄断的国家。

以办公复印机为例。普通纸复印机的先锋施乐公司如今面临着来自计算机制造商（IBM）、胶片公司（柯达）、矿业公司（3M）、必能宝（Pitney-Bowes）和Addressograph-Multigraph的竞争。

普通纸复印机领域的情况跟大型主机相似。施乐首先进入心智并且在复印机市场上占据主导地位之后，一批大公司突然出现：IBM、柯达、3M、必能宝和Addressograph-Multigraph。这些公司都没有成功，原因和主机领域没有几个小公司成功一样，它们的名字在人们的心智中代表的是另一种的定位。IBM代表大型主机、柯达代表着照相胶片、3M代表了胶带、必能宝代表了邮资机、Addressograph-Multigraph曾代表打印机。能利用现有的名字搭便车，为何还要起新名字呢？为的是能在人们心智中建立一个新的定位。

联合企业在通过并购不断扩大的同时（如RCA买下了赫兹、ITT买下了安飞士），也提供了维持增长和竞争所需的资金。

否则，等公司创始人退休或去世以后，各种赋税将使公司无力维护自己的地盘。

公司的生存周期一般从某位有个好主意的企业家开始，一旦成功，你看着吧，仅死亡和税收这两件事情就会使公司最终被联合企业收购。

两种不同的战略

由于各公司靠两种不同的战略（内部开发和外部并购）发展壮大，因此两种不同的“命名”战略也由此演变而来。公司尊严决定了它采取的战略。

公司在内部开发出一种产品之后，通常会把公司名称作为产品的名称。例如，通用电气计算机。

公司通过外部并购而获得一种产品之后，通常会保留其原有的名称。例如，RCA保留了赫兹这个品牌名，ITT保留了安飞士。

普华永道是我们最喜欢的保持尊严的名字，合并各方谁也不丢面子。㊀

即使在今天，赫兹和安飞士依然是两个有影响的品牌，因为它们在人们心智中代表着明确的定位，而买下它们的那两家联合企业（RCA和ITT）的品牌却不如它们。如果把你的名字用在你所有的产品上面，时间久了会削弱你的实力。

㊀ 普华永道会计师事务所（Price Waterhouse Coopers）是国际四大会计师事务所之一。它是普华（Price Waterhouse）和永道（Coopers&Lybrand）于1998年合并组建而成。——译者注

但并非总是如此。

斯佩里-兰德公司（Sperry-Rand）在内部开发出一个计算机系列后，起名为Univac。施乐公司通过并购进入计算机制造领域后，却将原来的“科学数据系统”改名为“施乐数据系统”。

抛开其自我意识不说，公司在什么时候该用公司名称，又在什么时候该起个新名字呢？（你不能完全不在乎公司尊严。试一试劝说通用电气公司不在新产品上使用GE二字，你就会知道公司自我意识问题有多大。）

选择名字的原则为什么至今依然难以确定，查尔斯·林德伯格综合征就是个中原因。

如果你是第一个进入人们心智的，起什么名字都管用。

如果你不是第一个，而且又不选一个合适的名字，那就是灾难性的。

国际商用机器公司（IBM）对计算机产品来说是个坏名字，因为IBM在潜在客户的心智里占据的是打字机的定位。

但这没关系。IBM是第一个生

GENERAL ELECTRIC

既然通用电气好像违反了这本书里的许多原则，它为什么仍然能这么成功呢？这很可能是人们向我们提得最多的问题。实际上，这其中有许多原因。（1）通用电气是一家有108年历史的公司，早在很少有竞争的年代就深入人心了。（2）通用电气是美国第五大公司。强者通常总是正确的。（3）通用电气只聚焦自己数一数二的业务。（4）通用电气的竞争对手们大都也像通用电气一样是大型联合公司，没有定位聚焦。（5）通用电气避开了同质化竞争的未来型业务，如软件、计算机、电信、网络、移动电话，等等。还应该注意的是，通用电气没有把全国广播公司（NBC）改名为GE广播公司（GBC）。如果你的公司有108年历史，如果你的公司是美国第五大企业，如果你的业务在该行业里数一数二，或者如果你的公司愿意放弃未来，那就采用通用电气的战略吧。

产计算机的，所以不管怎么说，它们还是能赚大钱（赚大了）。

通用电气公司对计算机产品来说也是个坏名字，而且它又不是第一个进入该领域的，所以赔了大钱。

尽管现在的斯佩里-兰德公司不怎么有名，把Univac用来命名计算机却非常不错，所以，Univac继续在计算机业务上为斯佩里-兰德公司赚取利润，而通用电气公司却在许多年前就离开了计算机领域。

分而治之

为了说明使用与公司名称相独立的名字的好处，不妨比较宝洁公司和高露洁-棕榄公司的战略。

你会发现在高露洁-棕榄的产品线中有许多是用公司名称命名的品牌，比如：高露洁牙膏、高露洁一次性剃须刀、高露洁100口腔消毒水、高露洁牙刷和高露洁牙粉。还有棕榄牌洗涤剂、棕榄快速剃须刀、棕榄剃须膏和棕榄牌肥皂。

宝洁公司的产品线中却看不到一个用公司名称命名的品牌（消费者都知道，Proctor是“铁”的意思，Gamble是“赌博”的意思）。

所以，宝洁公司小心翼翼地给每一项产品定位，单独命名使它能在人们心智里占据一个特殊的位置。例如，汰渍能使衣服“洁白”、Cheer能使衣服“白上加白”，而Bold则能使衣服“鲜亮”。

宝洁的品牌少于高露洁-棕榄（宝洁有51个主要品牌，高露洁-棕榄有65个），业务量却是高露洁-棕榄的两倍，利润则是它的三倍。

有意思的是，尽管眼下嘲笑宝洁的广告成了麦迪逊大街上的一种时尚，宝洁每年的利润却比全美国6 000家广告公司的利润总和还要多。

让我们说什么好呢？宝洁公司在为产品单独起名字方面退步了许多，并且也去凑品牌延伸的热闹（它们最近一次做法是把“玉兰油”品牌延伸为化妆品的一个通用品牌）。那么，宝洁的生意最近好吗？当然不好。

新产品需要新名字

用一个广为人知的名字命名一个刚上市的产品几乎是必错无疑的。

原因很明显。一个名字之所以广为人知是因为它代表着某种事物。它在潜在客户的心智中占据了一个位置。真正广为人知的名字应该处在一个定义清晰的阶梯的最高处。

要想让新产品获得成功，就应给它立一个新阶梯。新阶梯，新名字。就那么简单。

然而，不使用广为人知的名字就会面临很大压力。“妇孺皆知的名字已经深入人心。我们的顾客和潜在客户都知道我们和我们的公司，所以，如果用我们的名字命名新产品，他们更容易接受。”大多数人都相信这种说法。

施乐公司花了将近10亿美元买下了一家名字非常好、利润颇丰的计算机公司——科学数据系统公司，它在这之后干了些什么？没错，它把该公司的名字——“科学数据系统”改成了“施乐数据系统”。

为什么？显然是因为施乐这个名字更好、知名度更大。施乐不仅更知名，而且还有一套营销秘诀。施乐是商界的“灰姑娘”，施乐不可能犯错误。

跷跷板原则

从顾客心智出发，就能看出错误所在。

这实际上是跷跷板原则：一个名字不能用来代表两个彼此完全不同的产品；一个上升，另一个就会下降。

施乐代表着复印机，不是计算机。

就连施乐公司也知道这一点。

“有意思。你看起来不像台施乐机器”，它自己的一则计算机广告上的标题如是说。

“这台施乐机器不能复印”，另一则广告说。

你肯定知道，任何一台施乐生产的机器如果不能复印准会出麻烦。这就像免费搭乘泰坦尼克号一样。施乐公司剥离其计算机业务时，花费达8 440万美元。

施乐公司的这则计算机广告提出的是问题，不是答案。多年来，施乐的计算机公司亏损了好几十亿美元，最后终于放弃了这项业务，转而把自己定位为“文档公司”。不能用来复印的机器算不上是它的产品。

亨氏是什么？它过去代表的是泡菜。亨氏公司拥有泡菜的定位，市场份额最大。

后来，公司让亨氏代表番茄沙司。此举也很成功。亨氏如今是番茄沙司领域的领导者。

可是，跷跷板的另一头怎么样呢？瞧瞧，亨氏自然把泡菜方面的领先地位拱手让给了Vlasic。

要想取得成功，施乐公司就得让施乐代表计算机。这样做对一家拥有复印机地位的公司、一家90%的业务来自复印机的公司来说合适吗？

施乐不仅仅是一个名字，它是一个定位。和舒洁、亨氏、凯迪拉克一样，“施乐”代表了一个有着巨大、长远价值的地位。

要是有人企图抢占你的地位，那就够糟糕的了。要是你自己放弃了它，那就太悲惨了。

亨氏公司的规模和名望都超过Vlasic和Gerber公司，但Vlasic的泡菜销量超过了亨氏，Gerber的婴儿食品销量也超过了亨氏。有名望的大公司通常难以竞争得过规模较小，但定位明确的公司。规模并不重要，重要的是定位。

匿名的价值

企业总想搭便车的原因之一是，它们低估了匿名的价值。

在政治、营销和生活当中，没有名气也是一种资源，但过多的宣传很容易将其浪费掉。

政界有句老话说，“无名之辈敌不过炙手可热的人物”，不过，现在可以。

“无名之辈”吉米·卡特在一大群名人之中迅速崛起，说明政治角逐已经今非昔比，旧时的至理名言不再管用了。

理查德·尼克松也许是世界上最出名的政治家。可是，几乎任何一个无名之辈都有可能打败他。著名政界人物如贝拉·阿贝朱格和克里福德·凯斯（Clifford Case）之流的落败，也证明了光出名是不够的，你需要有一个定位。一个不会使你走入窘境的定位，就像年龄之于凯斯参议员、独断专行之于阿贝朱格夫人那样。

公关如同吃饭，最让人胃口大减的莫过于一顿丰盛的大餐；最能削减一个人或一项产品公关潜能的莫过于一篇全国性杂志上的封面文章。

媒体每天都在寻找与众不同的、全新的年轻面孔。

“无名之辈”约翰·麦凯恩（John McCain，美国参议员，2000年竞选总统候选人未果）的迅速崛起，说明无名小卒在宣传方面所具有的优势。另一方面，史蒂夫·福布斯（Steve Forbes）由于在1996年的大选中声名远播，到了2000年，他的宣传优势便大打折扣。在我们看来，麦凯恩的失败原因是，他没有好好想一想怎么样改进自己的定位。乔治·布什是个“有同情心的保守派”，约翰·麦凯恩是什么样的人，代表着什么？满足所有人的需求在政界也行不通。

在和媒体打交道的时候，你得保存好自己的匿名资源，直到你准备好使用它为止。你在用它的时候，要全力出击。记住你的目的不是宣传，或是建立声誉，而是为了在潜在客户的心智中建立一个定位。

一家拥有一项不知名产品的不为人知的公司从公关宣传上得到的效果，要比一家拥有名牌产品的著名公司大得多。

“到了将来，人人都会出名15分钟，”安迪·瓦霍尔（Andy Warhol）曾预言道。

你的15分钟来临时，就要充分利用每个60秒。

POSITIONING

第12章

品牌延伸陷阱

如果写一部过去10年的营销史，其中最为重要的趋势非品牌延伸莫属。所谓品牌延伸，就是把一个知名产品的品牌用在一个新产品上（这就是“搭便车”陷阱的终极版本）。有了Dial牌肥皂，随后就有Dial牌除味剂。有了Life Savers糖果，接着又出来Life Savers口香糖。

舒洁牌卫生纸之后便是舒洁牌纸巾。

近年来较为愚蠢的品牌延伸案例之一是米勒清爽啤酒。

就像当年谢尔曼将军横扫佐治亚州那样，品牌延伸横扫了整个广告和营销行业，而且理由恰当。

逻辑都在品牌延伸这一边：经济学理论支持它，行业认可它，消费者也接受它，它能降低广告成本、增加收入，并有利于公司形象。

由内而外的思维方式

正如我们说过的那样，逻辑都在品牌延伸那一边。但不幸的是，真理却不是。

品牌延伸有什么不对的？这纯粹是明确而又固执的由内而外的思维结果，大体可以描述如下：

“我们生产的Dial牌肥皂是市场上销量最大的洗衣皂。顾客一看到Dial牌除味剂就知道它很了不起，它是Dial牌肥皂的生产商制造的。”

“此外，”关键就在这句话上，“Dial是一种香皂。顾客会期待我们生产一种优质的腋下除味剂。”总之，Dial肥皂的顾客会购买Dial除味剂的。

但是请注意，如果品牌延伸的是同一品类，整个推理是如何发生变化的。

拜耳公司“发明”了阿司匹林，并且多年来一直在销售这种领先的止痛药品牌。但是，该公司的人不会没有注意到“泰诺”在采用“反阿司匹林”战略方面所取得的进展。

于是，拜耳公司推出了一种对乙酰氨基酚产品，名叫“不含阿司匹林的拜耳止痛药”。这时，过去购买“泰诺”和其他对乙酰氨基酚类产品的人也许就回头买“拜耳”，因为它是头痛药里的领先品牌。

成年男人（我们不能想象成年女子也会犯同样的错误）围坐在董事会办公室的会议桌旁做出决定，把他们生产的新型对乙酰氨基酚产品叫做“不含阿司匹林的拜耳止痛药”。这个品牌能从“泰诺”手里夺走市场吗？不太可能。

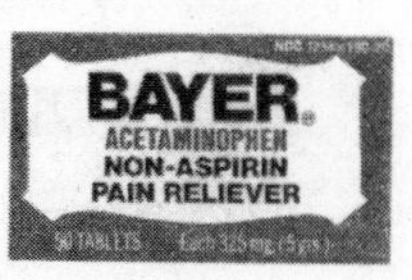

可是，这两个战略都不管用。

Dial仍然拥有庞大的肥皂市场份额，它的除味剂份额却非常小。

拜耳公司的不含阿司林产品在对乙酰氨基酚药品市场上的份额也微不足道。

由外而内的思维方式

我们不妨从潜在客户的角度看品牌延伸，对这个问题进行逆向思考。

Dial和拜耳在潜在客户的心智里都拥有稳固的定位。

可是，在人们心智里拥有定位意味着什么？意味着某个品牌名称变成了通用名称的替代物或代名词。

“来一瓶可口可乐。”

“拜耳放在哪儿？”

“把Dial递给我。”

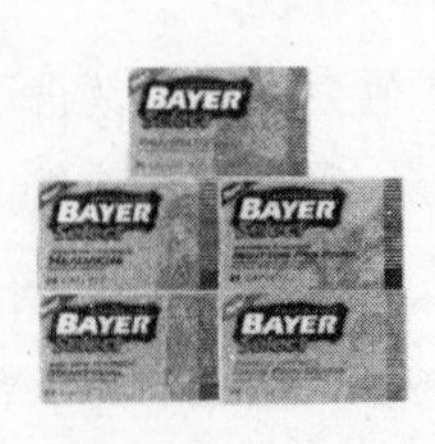

拜耳公司没有放弃努力。不含阿司匹林的拜耳品牌失败后，它又推出了“拜耳优质产品系列”，包括五种不同的止痛药品，全都不含阿司匹林，而且都用拜耳命名。公司花了1.1亿美元宣传“拜耳优质系列”，但第一年的销售额只有2 500万美元。

定位越稳固，这种替代现象往往就发生得越加频繁。有些品牌的定位已经强大到了变成通用名词的地步，如玻璃纤维、富美家(Formica)、Jello、舒洁、邦迪、山咖，当然，“通用型”品牌名称比较玄，必须小心谨慎，以免“山姆大叔”把你的东西给没收了。

从传播的角度看，通用型品牌名称非常有效，可以一举两得。你一旦有了通用型品牌名称，就可以不去考虑品牌，只需宣传该品类就够了。

“咖啡让你睡不着？那喝山咖牌吧。”（你从中可以看到律师的重大影响。如果没有多余的“牌”这个字，主题还能更加突出。）

“给你的家人吃低热量的Jello[⊖]，别再吃蛋糕或馅饼了。”

从潜在客户的角度来看，品牌延伸不利于通用品牌名称，它使这类品牌在人们心智里的清晰印象变得模糊，使得顾客想要阿司匹

⊖ 英文中，“果冻”即为Jello。——译者注

林的时候不能再用拜耳来替代，想买肥皂时也不提Dial了。

从某种意义上说，品牌延伸使潜在客户认识到，拜耳实际上只是一个产品名称而已，品牌延伸摧毁了拜耳在人们心目中的高级阿司匹林的地位，同样也打破了人们把Dial看做是香皂，而不仅仅是一种香皂的品牌名称的认知。

JC彭尼与永久

实际上打入人们心智的根本不是产品，而是该产品的“名字”，潜在客户就是用这个名字与产品特征挂上钩的。

因此，如果某种汽车蓄电池名叫永久（DieHard），而且西尔斯百货商店说它能维持48个小时时，你便有了一个钩子把“维持时间长”这个特点挂在上面。

不过，如果蓄电池的名字叫JC彭尼，而且零售商说它从不需要加水，你会有一个非常弱的钩子来挂这个特点（且不提公司名与产品名相混的问题）。

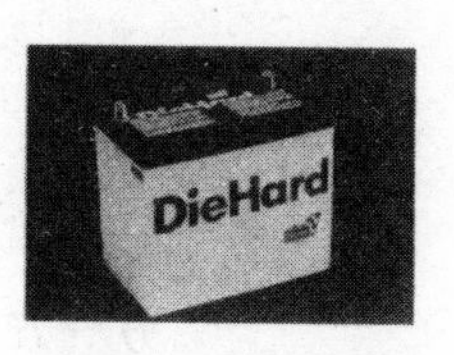

西尔斯公司在推出永久牌蓄电池时是世界上最大的零售商，永久自然也就成了美国销量最大的汽车电池。我们敢肯定，当时在西尔斯公司内部有许多人会问：“为什么不叫它‘西尔斯’牌电池？”

具体而言，名字就像刀尖，它能开启人的心智，引入信息。产品有了合适的名字，就能填补空位，并且在那儿长驻。

所以说，为什么JC彭尼公司要叫它的电池JC彭尼牌呢？也许还有其他像“永久”这样能不胫而走的词可供选用。

你如果采用“由内而外”思维方式，就很容易看出其中的理由。“我们公司叫JC彭尼，受到各种各样买主的高度尊重，其中包括蓄电池的买主。我们要把公司的名字用在该产品上，这样就能使所有人一看就知道它是谁生产的，明白它是特别出色的产品。”

下一句最关键：“电池上用了JC彭尼这个名字，潜在客户就知道上哪儿去买它了。”

“好主意。”于是，又一个合情合理的由内而外式决策诞生了。

可是，如果换个角度看，这个名字就没有任何意义了，因为潜在客户的心智不会这样考虑问题，他们是从产品的角度想问题的。

在品牌喜爱度方面（即在潜在客户心智里的蓄电池阶梯上），永久位于最顶层，而JC彭尼却低了好几层。这一现象应该不足为怪。

像JC彭尼这样的大型零售商不是也销售大量的蓄电池吗？当然。不过，正如人人都知道的那样，许多名字起得不好的产品尽管也销售得不错，却不是因为它的名字的缘故。

另一方面，潜在客户不是也很难记住永久电池只能在西尔斯商店买到吗？是的，这是西尔斯的问题，不是每个想买永久电池的人都能想到这一点的。不过，最好还是先在潜在客户心智里占据一个位置，然后再考虑如何解决零售方面的问题。

在定位过程中，走两点之间最短的捷径未必就是最好的战略。现成的名字并不总是好名字。

由内而外的思维方式是通往成功的最大障碍，由外而内的思维方式则大有裨益。

看待名字的两种方式

消费者和制造商看问题的方式完全不同。

在亚特兰大人的眼里，可口可乐不是一种软饮料，你信不信？对制造商来说，可口可乐是一家公司、一个品牌名称、一个机构和一个合适的工作地点。

对消费者来说，“可口可乐”却是一种带甜味、加二氧化碳的褐色饮料。倒在杯子里的东西叫做可口可乐，而不是由一家名叫可口可乐的公司制造的可乐类饮料。

装在阿司匹林瓶子里的那些药品是拜耳。而不是一家叫拜尔的公司生产的阿司匹林（当然，公司的名字叫斯特林制药公司（Sterling Drug），不叫拜耳。所以，按理说，不含阿司匹林的拜耳只能叫“不含阿司匹林的斯特林”）。

通用型品牌名称的长处在于它与产品本身密切相关的一致性。在消费者的心智里，拜耳就是阿司匹林，其他阿司匹林品牌都成了“拜耳的模仿者”。

营销人往往知道的太多。他们知道包装罐上印的是罐内饮料的品牌名称（有时也是制造商的名字），它是可口可乐公司生产的可乐。那么，该公司为何不能推出由可口可乐公司而不是雪碧公司生产的柠檬-青柠味的饮料？当然能，但是这样会使潜在客户觉得很不适应。对于喜欢可乐的人来说，可口可乐就是可乐。印在罐上的品牌名称只是在告诉人们装在里面的东西叫什么，它是正宗货。玩弄这些概念是在冒险。

可口可乐的那句著名口号“正宗货”利用的就是这一点，即潜在客户往往把第一个进入其心智的产品放在显要的位置上，并认为仿效的产品不如原创的产品。

如果买不到可口可乐、舒洁或拜耳，或者其他品牌价格要便宜得多，潜在客户也许会买别的品牌。但是，拜耳等品牌依然在他们心智里占据着稳固的定位。

但要注意的是，同一个顾客在买一种叫做“不含阿司匹林的拜耳”的产品时会出现什么情况。如果“拜耳”是一种阿司匹林，它怎么会不含阿司匹林呢？

拜耳缓释阿司匹林、拜耳抗凝血感冒片、拜耳不含阿司匹林止痛片，每一种拜耳系列的品牌延伸都在削弱该品牌的阿司匹林地位。

正如你可能会预料到的那样，拜耳在止痛药市场上的份额正逐年下降。

蛋白质21是什么

蛋白质21（Protein 21）牌香波也许是“品牌延伸”陷阱的一个典型例子。

1970年，Mennen推出了一种名叫蛋白质21的洗发护发素二合一产品，该产品很快就在洗发水市场上夺走了13%的份额。

接着，Mennen经不住品牌延伸的诱惑，不久便推出了蛋白质21常规和特殊配方的定型水，分有香味和无香味两种，还有蛋白质21护发素（两种配方）和蛋白质21香水。为了不让你记住往头发上抹的是什么东西，Mennen公司还销售专供男士使用的蛋白质29。

难怪蛋白质21在洗发水市场上的份额从13%跌到了2%，而且注定还会继续跌下去。

虽然听上去不可思议，但是品牌延伸思想至今还在包装食品行业里开疆扩土。

最容易毁掉一个品牌的做法是品牌延伸。要不是Mennen公司把蛋白质21这个名字用在定型水和护发素上，它现在很有可能成为一个著名品牌。

Scott是什么

再以Scott在纸产品中的定位为例。在销售额达数十亿计的纸巾、纸尿布、纸餐巾和其他纸制消费品市场里，Scott市场份额最大。但是，当年它在自以为强大的领域里实际上却很弱小。

Scott纸巾、Scott卫生纸、Scott纸面巾、Scott纸餐巾甚至Scott纸尿布，所有这些名字都削弱了Scott 的基础。用Scott这个名字的产品越多，它对广大消费者的意义就越小。

以Scott卫生纸为例，它原本是卫生纸市场上的第一品牌。后来，宝洁公司推出了Mr. Whipple和其他品牌的卫生纸。如今，Scott卫生纸落到Charmin之后；你可以料想，Scott系列的其他产品随时也会垮掉。

Charmin	30%
Northern	14%
Scott	12%
AngelSoft	11%
Cottonelle	10%

这是卫生纸的当前市场份额分布情况。一度曾是领先品牌的Scott如今落到了第三位。但问题实际上更加严重。你如果失去了领先地位，那你失去的不只是一部分业务，还失去了你的渠道能力，失去了你的利润，失去了你的声誉。在营销中，只有领导地位才是最强大的地位。

在Scott案例中，所占市场份额大并不意味着公司就拥有领先地位。更重要的是在人们心智里占据的份额要大。家庭主妇在购物单上写上“Charmin、舒洁、Bounty和帮宝适”这几个字，我们就能确切地知道她打算买什么产品、而Scott在购物单上不代表任何东西。

从定位的角度看，Scott这个名字总会被忘却，因为它没有牢固地占稳任何产品阶梯。

Scott公司已经开始认识到自己的错误之处。它推出的一个新品牌Viva纸巾大获成功，Cottonelle卫生纸同样业绩不错。

Life Savers是什么

Life Savers牌口香糖也是一个品牌延伸的失败案例。可以这么说，它还在咬紧牙关坚持着。

在这个案例中，品牌延伸仍符合逻辑。

Life Savers公司的执行副总裁在《纽约时报》的一篇文章中解释了这一战略，“我坚信，把强有力的现有品牌转用在一项具有类似特点的新产品上，这是一个提高成功率的好办法。”

接着，他又介绍了Life Savers糖果的特点：“我们与消费者的对话表明，‘Life Savers’这个品牌名称传递的意思不仅是中间带个圈的糖果，它还意味着好滋味、超值享受和可靠的质量。”

不全是如此。如果你问“什么品牌意味着好滋味、超值享受和可靠的质量”，有多少人会说“是Life Savers”。没人会这样说。

那么，如果你问“中间带个圈的糖果叫什么名字？”

大多数人会说：“叫Life Savers。”

那么，品牌延伸的结果又如何？Life Savers牌口香糖的市场份额从来没有超过一位数。它属于那些你如今再也见不到的品牌之一，因为它在1978年就悄然失踪了。

过去，电视上的商业广告总是说："这糖真好吃，可是中间的那个洞到哪去了？"

当然，那个洞根本不在糖里，而是在营销战略上。

具有讽刺意味的是，Life Savers有限公司在口香糖方面取得了巨大成功，即在泡泡糖领域。

不过，它不叫Life Savers牌泡泡糖。

它叫波波洋，是第一个软质泡泡糖品牌（成为第一的优势加上不使用品牌延伸名称的优势）。

波波洋很快取得了成功，其销售额早已超过了Life Savers牌糖果。

波波洋不仅成了销量最大的泡泡糖品牌，还有可能成为所有类型的口香糖当中销量最大的品牌。

我们对品牌延伸问题深有感触，于是便在1984年3月7日的《纽约时报》上就这一主题打出了一则整页广告。"是什么导致了米勒公司的好日子每况愈下？"广告说。"是米勒牌清爽啤酒的成功。"历史往往会重演。康胜低度啤酒很快就扼杀正宗的康胜牌啤酒了。眼下，百威低度啤酒的成功正在使老牌百威啤酒的销量大幅下跌。世上没有免费的午餐。

什么是永备

许多公司发现，每当新技术来临时，时局总会特别艰难。

过去，在手电筒是主要家用电器的年月里，永备主宰着电池市场。后来出现了半导体和与之相关的众多产品，如磁带录音机和功能更强的收音机等，自然还有使用寿命长的碱性电池。

马洛里公司发现这个机会后，推出了黑、金两色外壳特征鲜明的金霸王牌碱性电池。

联合碳化物公司的人对使用新名字的想法嗤之以鼻，他们说：“我们已经有了电池业里最好的名字了。”

本书出版不久后，我们打电话给联合碳化物公司的广告部经理，建议他的公司应该推出一种使用新名字的碱性电池，得到的回答却是：“我们决不销售不用永备这个名字的电池。”现在又有了劲量（他们只好推出新的品牌，因为金霸王正在把他们推向绝路）。如今，金霸王的销量是永备和劲量的总和，尽管老百姓对劲量的卡通兔子十分着迷。在电视智力竞赛节目《21》上，有位参赛者痛失10万美元，因为他把那只兔子说成是金霸王的了。

不对。如今，金霸王电池的销量超过了永备公司生产的碱性强力电池了。为了应对金霸王的成功战略，永备公司显然认为他们只能仿效金霸王的黑、金两色图案，同时在外壳上让“碱性强力电池”这几个字比“永备”商标更加显眼。

金霸王电池外壳上只用粗体字突出了“金霸王”的字样，无须再说“碱性强力电池”，因为“金霸王”本身就意味着碱性强力电池。

这自然就是**定位的精髓所在：用你的品牌名称代表通用名称，从**

而使潜在客户不经意中就把品牌名称当成了通用名称。

但是，人们似乎从直觉上认为品牌延伸是正确的，所以唯一能抵御其诱惑的方法就是研究营销史上典型的品牌延伸失败案例。

这些例子不难找到，是一些坐失良机的传奇故事。

100毫米的失败

第一种100毫米超长香烟是什么牌子的？

金边臣（Benson & Hedges）对吧？它是最有名、销量最大的100毫米香烟。

“金边臣香烟的劣势”打响了这个品牌，把它的名字烙在了烟民们的心智里。人人都知道金边臣是100毫米概念的首创者、发明者。

事实并非如此。第一支100毫米香烟是金牌长红（Pall Mall Gold），但金牌长红公司陷入了“品牌延伸”陷阱。

金边臣公司趁机而入，抢占了长支香烟的地位。

你会认为Pall Mall Gold错失的这次良机可能让他们对品牌延伸失去信心。

你不必第一个打入市场也能成为大赢家，但你必须在人们心智中成为第一。Pall Mall Gold的品牌延伸失误使金边臣得以成为人们心目中的第一种100毫米香烟。

没有。正如我们说过的那样，主张品牌延伸的道理正风行天下。

于是我们现在有了清凉型Pall Mall Gold，超淡Pall Mall Gold和

轻型Pall Mall Gold。名称的混乱影响了Pall Mall Gold老品牌的销量。

以清凉型Pall Mall Gold为例。这家公司认为品牌延伸的理由无懈可击。“清凉型香烟如Kool和Salem占据的市场份额都越来越大。如果我们也有一个清凉型品牌，我们就能从这个不断扩大的市场上分得一杯羹。”

清凉型Pall Mall Gold上市之后，销量从来没有超过Kool的 7%。

Pall Mall Gold在1964年还是美国的第一香烟品牌。

1965年，Pall Mall Gold公司第一次实施品牌延伸，销量就落到了第二位。从此之后，Pall Mall Gold在美国香烟市场上的份额逐年下降。

1964年为14.4%，现在则比1964年又下降了一半还多。

品牌延伸的逻辑也可以反过来讲。既然传统品牌占据了一大块市场份额，你会推出一个非清凉型Kool？

当然不会，因为Kool原本就是清凉型香烟。Kool就意味着清凉型，就像拜耳代表阿司匹林一样。

这对Kool来说是件好事，因为大多数现有的品牌都成了品牌延伸的猎物。

如今，一家货色齐全的烟草商店里会有100多种不同的品牌(包括延伸产品在内)。烟草业生产了大概175种品牌。这么多牌子还不把人弄晕了（烟雾不仅对香烟营销人员的肺有害，也肯定对他们的心智有害)。

自然，万宝路和温斯顿（Winston）这两个领先品牌早就延伸出了轻型、100毫米和清凉型品种。所以，根据品牌延伸理论，你觉得这两个品牌会不会步Pall Mall Gold的后尘？或许吧，不过在盲人国里，独眼龙就成了国王。

能向领导品牌发起挑战的还剩下哪几家了？几乎所有的主要香烟品牌都已经品牌延伸到极限了。

也许香烟公司和烟民需要的是这样一句话："警告：品牌延伸有害利润。"

我们应该为如今成为世界销量最大的香烟品牌万宝路的成功说上几句。实际上，所有的香烟品牌都设法吸引过女性消费（既然大多数烟民都是男性，女士似乎就成了扩大业务的机会所在）。菲利普·莫里斯公司却反其道而行之。他们把精力放在塑造男人中的男人即牛仔形象上面，从而确立了其男性地位。骆驼的形象是什么？有谁知道？温斯顿的形象是什么？也没人知道。万宝路的形象是什么？它是一种男人抽的香烟，却在女人当中也是销量最大的。

玉米油衰败记

另一个坐失良机的案例发生在人造黄油领域。

Fleischmann's是玉米油制作的人造黄油里的领先品牌，销量也最大。

但是，第一个玉米油人造黄油品牌是Mazola。这是逻辑把你引入歧路的一个典型例子。

Mazola原先是液体玉米油领导品牌的名字。如果推出玉米油人造黄油，还有比Mazola玉米油人造黄油更合乎逻辑的选择吗？有了Mazola牌

万宝路品牌延伸了吗？当然了。但问题该这么问：如果菲利普·莫里斯公司把投入延伸产品"清凉型万宝路"、"中焦油万宝路"和"轻型万宝路"上的资源投到新品牌上，收益会不会更高？我们认为会。但是，由于我们俩都反对抽烟，所以但愿他们不采取我们的建议。随便问一句，你觉得有多少牛仔会去抽清凉型香烟？

玉米油，便会有Mazola玉米油人造黄油。其他的都已成为历史。

如今，Fleischmann's才是第一品牌。

奇怪的是，严格地说，Fleischmann's是一个延伸产品的名字。还记得Fleischmann's酵母吗？令Fleischmann's公司感到幸运的是，几乎无人记得这一点，因为现在很少有人自己烤面包了。

后来又有了Fleischmann's杜松子酒、伏特加和威士忌，都是同一家公司生产的。造成混淆的因素降到了最低点，因为在人们的心智里，酒和人造黄油相去甚远。（谁会真的相信凯迪拉克牌狗食是通用汽车公司生产的？）

咖啡杯争夺战

还有一个坐失良机的例子发生在冷冻干燥咖啡领域。如今，Taster's Choice是此类咖啡中销量最大的领导品牌。

可是，第一个冷冻干燥咖啡叫什么？Maxim，那么，Maxim为什么没有成为第一品牌？这是个阴谋与勇气的故事，也许值得在这里详细地说一说。

过去，通用食品公司以麦斯威尔这个品牌占据着咖啡市场，它的市场份额最大，赚的钱也最多。后来，它发明了一种新的加工方法，叫做“快速冷冻干燥法”。

从表面上看，这一方法似乎能帮助通用食品公司增大它在咖啡市场上的份额。

事实又如何？

通用食品公司开局失利。由于用了Maxim这个从麦斯威尔延伸出来的名字，公司立刻变得不堪一击（Maxim就是Maxwell，明白吗？可大多数人都不明白）。Maxim是个毫无意义的词，没有任何好的含义。

雀巢公司用Taster's Choice[㊀]这个名字发起了反攻。这个战略性的名称选得十分高明，就连雀巢公司选择的时机也几乎无可挑剔。没等对手的Maxim进入咖啡消费者的心智，雀巢就及时地杀进来。

Taster's Choice这个名字还有助于雀巢攻击细磨烘焙咖啡。它在广告里说："味道和细磨烘焙的咖啡一样。"结果如何？你肯定知道。

Taster's Choice是这场咖啡杯争夺战的大赢家。尽管是通用食品公司发明了冷冻干燥咖啡，并且首先上市销售，Taster's Choice的销量与Maxim的销量却是2∶1。

有个不为人知的故事，说的是雀巢公司内部发生的争论，主题是给他们用来与Maxim抗衡的冷冻干燥咖啡品牌起什么名字。公司在瑞士的管理层希望充分利用世界上销量最大的速溶咖啡品牌"雀巢咖啡"这个名称，叫它金牌雀巢咖啡。另一方面，公司在美国的管理部门却坚持要叫它Taster's Choice，并且最终赢得了公司内外的认可。更好的名字加上更佳的战略有时能克服在同类产品中屈居第二的不利因素。

护手霜的竞争

还有一个坐失良机的案例发生在护手液领域。事情是从该市场上份额最大的第一品牌杰根斯（Jergens）开始的。

㊀ 意为行家的选择。——译者注

最初，该公司推出了杰根斯特干燥护手液（Jergens Extra Dry），当时别的同类产品都是液状的，只有它是乳膏。这种产品确实是一项重大发明，却被相似的名称给扼杀了，因为潜在客户看不出其中的区别。

但是竞争对手却看出来了。

旁氏公司推出了呵护。这时，这种新型乳状护手液头一回有了名字，在消费者心智里明确地定了位，并且流行开来。

杰根斯公司认识到眼前发生的事情后，自然进行了反击，推出了一个品牌，叫做Direct Aid。

但是，它也和其他坐失良机的企业一样，行动太晚、力度太小，因为营销的胜利成果已经落入呵护手中，如今，呵护成了第一品牌、销量比杰根斯、杰根斯特干护手液和Direct Aid三种产品的总和还多。

可是，它的名称实际上是凡士林呵护，不也是一个品牌延伸名称吗?

Jergens Extra Dry vs. Intensive Care.

呵护的成功反映了一个重要的定位理念。竞争对手推出的延伸产品往往给了你一次机会。若是用一个专业的品牌与延伸品牌展开竞争，这场竞争通常会按照你的意愿发展。金边臣、Taster’s Choice和Intensive Care就是三个典型的例子。

没错，可是消费者称该产品为呵护，而不是凡士林，凡士林是一种石油冻，而呵护则是一种护手液。

无糖可乐之战

人们很少有机会看到像无糖百事和Tab这两种采取截然不同战略的产品之间发生的直接对抗。

品牌延伸不易察觉，因为所有的优势似乎都在百事公司这一边。不管怎么说，像百事这样著名的品牌加上描述性形容词“无糖”看来能战无不胜。

此外，无糖百事是头一个上市的。根据定位法则，第一个进入潜在客户心智的品牌拥有巨大的优势，但这不足以克服品牌延伸式名称所产生的不利因素。

你如果信奉品牌延伸，就决不会让本节中所说的事实影响你的信仰。Tab尽管销量超过了无糖百事，从而证实了延伸式名称的不足，百事可乐公司却无视事实，还是我行我素，乐此不疲，继续推行类似的产品，如水晶百事（Crystal Pepsi）、野樱桃百事（Wild Cherry Pepsi）、麦克斯百事（Pepsi Max）和“百事XL”；另外还有轻型百事、百事AM和百事一号（Pepsi One）。这些品牌没有成功的，今后也不会成功。

这场营销战的胜者是Tab。百事这个名字延伸到低糖可乐领域后形成的不是优势，而是弱势。

喝可乐的人认为无糖百事不如传统的百事可乐，Tab却是独立的品牌。

那么，有了Tab出色的营销胜利之后，可口可乐公司有没有遵守定位原则呢？

当然没有。他们开始犯同样的错误来。Tab现在也成了汽水和黑樱桃汁的品牌。他们假如想在这些产品类别中建立品牌，就不该再用这个已经成为无糖可乐的通用型名称的品牌了。

失败者如何了？如果输掉一场关键的棒球比赛，教练就得改变战略。百事可乐是怎么做的？

如今轻型百事已成为百事一号。他们还是没有停止胡闹。

他们又一次犯了同样的错误。推出了轻型百事，一个毫无分量的品牌延伸名称。

逆向品牌延伸

尽管品牌延伸通常是错的，但反其道而行之却可行，人称反品牌延伸“拓宽基础”。这方面最好的例子之一是强生公司的婴儿洗发水。

公司通过在成人市场宣传强生牌婴儿洗发水有多柔和，竟然使该产品成为成人洗发水中的领先品牌之一。

请注意这个“拓宽基础”战略的特点：同样的产品，同样的包装，同样的标签，不同的只是用途。

假如强生公司对产品进行了延伸，推出的是强生牌成人洗发水，它就不会取得这样的成功。

拓宽基础的其他例子还有蓝仙姑（Blue Nun），这种葡萄酒的广

事实上，强生牌婴儿洗发水曾在短时期内一度成为成人洗发水中的领先品牌，后来，强生公司却放弃了这个广告项目，听任该品牌自生自灭。有些产品需要高强度的广告来使其品牌理念继续活在人们的心智里。这一战略不一定能扩大销量，却能使之维持在现有的水平上。然而，用“投资收益率”来衡量广告效益的公司实在是太多太多。

告说，在吃肉或鱼的时候饮用它最合适。

这不是“满足所有人需求”的陷阱的例子吗？不完全是。强生牌婴儿洗发水是第一个也是唯一的一个推销给成人用的婴儿洗发水；蓝仙姑则是唯一的一种被说成在吃肉或吃鱼的时候都可以喝的酒。

其他品牌如果也想采取同样的路子，就不会像这两个牌子那样成功的。

后来又出来了力木牌碳酸氢钠，广告说它适用于冰箱和排水管的保洁。营销做得也非常成功。可是，该公司采用品牌延伸战略推出力木牌碳酸氢钠除味剂后，结果又如何呢？

成效甚微。正像菲利斯·迪勒（Phyllis Diller）说的那样：“只有在你站在冰箱里的时候，它才管用。”

力木公司将其品牌延伸到了许多品类的产品中——牙膏、地毯清洁液，等等。在这些产品当中，大部分的销售情况充其量业绩平平。问题是，这家公司假如利用其部分技术推出使用新名称的新品类，情况会好多少？含有碳酸氢钠成分的Mentadent牌牙膏的销量就超过了力木牌牙膏。过于迷恋自己的品牌名称，这是公司化美国的通病。

连《哈佛商业评论》杂志也站出来宣布品牌延伸是商界一大忌。为什么谁也不听？

POSITIONING

第13章

品牌延伸何时有效

品牌延伸很流行，这一点毫无疑问。

短期优势

品牌延伸能够继续流行的原因之一是，它在短期内确实有一定的优势。

> 理解品牌延伸问题的关键之一是，把短期效应与长期效应分开来看。酒精是一种兴奋剂还是抑制剂？在短时间里，酒精是兴奋剂，从长期来看，它是一种抑制剂。品牌延伸的作用与酒精基本相同。

品牌延伸式名字与原先的名字有联系，所以能让人一下子弄明白："啊，对，无糖可口可乐。"

因此在短期内销量猛增。Alka-Seltzer公司如果推出一种新产品叫"复方Alka-Seltzer"，人人都会去买上一批的。消费者未必去买，但零售商们非买不可。

所以，最初的销售数字相当可观（要想发出价值100万美元的货，你只需向每家超市卖掉价值5美元的东西就行了）。

如果你供应充足，前6个月的业绩会很好。可是，一旦没有再次订购，情况便急转直下。

长期不利

潜在客户在一开始认可延伸品牌之后，绝对不确定到底是不是有这样一种产品。

舒立滋低度啤酒、Pall Mall Extra Mild超柔型香烟、杰根斯特干燥护手霜，这类品牌名称进入或退出人们的心智时都毫不费力，它们几乎不需要潜在顾客的丝毫脑力。

来得快，去得也快。品牌延伸容易被人忘记，因为它们在人们心目中没有自己的独立位置。它们是原有品牌名称的卫星，只会让原有品牌的地位模糊不清，而结果往往是灾难性的。

早在20世纪30年代，罗尔斯顿·普里纳公司（Ralston Purina Company）曾在电台里为“罗尔斯顿1、2、3”大做广告。1代表“粉碎型罗尔斯顿”，2代表“普通型罗尔斯顿”，3代表“速溶型罗尔斯顿”。

1、2、3，全都不复存在了。

传奇人物大卫·奥格威在“白色Rinso／蓝色Rinso染发液”项目上也马失前蹄。

莎莉公司（Sara Lee）曾经想用莎莉鸡肉面之类的产品打入冷冻正餐食品市场。莎莉公司在甜食市场地位显赫，没人不喜欢它的甜食。可是有许多人不喜欢鸡肉面，也不去买，尤其不买莎莉牌的。

于是，莎莉公司退出了冷冻正餐市场；该项目耗费了公司大约800万美元。

几乎人人都试过品牌延伸。《星期六评论杂志》（*Saturday Review Magazine*）试发行过四种不同版本（艺术、科学、教育、社会），亏损了1 700万美元。

眼下，李维斯公司和布朗鞋业公司正在推出——信不信由你——“李维斯足上系列”。李维斯至今仍是牛仔裤市场上的领导

USA Today on TV.

品牌延伸失败的例子很多。今日美国电视节目（USA Today on TV）推出后，第一年亏损了1 500万美元，第二年项目就取消了。但请注意，媒体对该项目的报道根本没有提到品牌延伸是其失败的原因，谈论的总是项目、人才、时机、布景等问题。这本质上是“产品和定位”的问题。我们认为，有了适当的名称和正确的定位，才能使那些最多算得上平平常常的产品和服务取得成功。大多数人认为唯一重要的是产品或服务的质量，这种观点不正确。

Levi's Tailored Classics?

李维斯公司起初推出了一种名叫李维斯定制经典的产品，销量不好；后来又把基本相同的一项产品重新起名为Dockers。如今，Dockers成了全球闻名的品牌，销售额高达150亿美元。

品牌，可这有损于它的定位。

现在又出了安飞士花卉、真利时（Zenith）手表、老祖父（Old Grand-Dad）烟草、Bic连裤袜和舒洁纸尿布。

还有皮尔·卡丹牌葡萄酒，自然是既有红又有白的；还有男用香奈尔香水。

“2”似乎是一个颇受青睐的品牌延伸概念。我们不仅有Jaws2，还有Alka-2、Dial 2和Sominex 2。几乎没有一部电影的续集的票房会超过第一部。

就连一些号称精明老道的广告公司也贸然用上了“2”字，于是，我们现在有了奥美2、恒美2、N. W. Ayer 2及Grey 2，等等。

购物单检验法

品牌延伸的经典测验法是购物单。

把你想买的品牌写在纸上：舒洁、佳洁士、李施德林、Life

Savers、拜耳和Dial，然后让你的爱人去超市。

这很容易做到。大多数丈夫或妻子都能买回舒洁卫生纸、佳洁士牙膏、李施德林漱口水、Life Savers糖果、拜耳阿司匹林和Dial肥皂。

舒洁毛巾、Life Savers口香糖、不含阿司匹林的拜耳止痛药和Dial止汗剂并没有毁掉该品牌原先的地位，至少目前还没有，因为它们需要一定的时间才能毁掉自己。

再看看这张单子：亨氏、Scott、蛋白质21、卡夫。

你爱人买回来的是亨氏牌泡菜还是番茄酱（或许是婴儿食品）？是Scott牌卫生纸还是毛巾？是“蛋白质21”牌香波、定型喷发水还是护发素？是卡夫牌奶酪、蛋黄酱还是色拉调料？

这种因一个名字代表数个产品而引起的混乱，正在缓慢而又稳步地削弱像Scott和卡夫这些品牌的实力。

就像一个过度膨胀的星球，品牌最终会变成一个燃烧殆尽的空壳；在营销上规模巨大，却不堪一击。品牌延伸之所以祸害无穷，是因为这种疾病潜伏好多年才会发作，是一个缓慢而不易被发现的过程。

以卡夫为例。这个著名的品牌患上了晚期品牌延伸症。卡夫是什么？什么都是，又什么也不是。卡夫在任何产品类别里都算不上是头号品牌。卡夫牌蛋黄酱卖不过好乐门（Hellmann），色拉调料则卖不过Wishbone。

卡夫公司无论在哪个产品类别里拥有领导品牌，都不管它叫“卡夫”。

它生产的奶油干酪叫Philadelphia，不叫卡夫。

它生产的冰激凌叫Sealtest，不叫卡夫。

它生产的人造黄油叫Parkay，不叫卡夫。

卡夫这个名字的长处在哪里？它太分散了。卡夫代表一切，又什么也不代表。品牌延伸是弱点；不是优点。

我们也许对卡夫这个品牌过于严厉了一些。它其实是个像通用电气一样的老牌子，在奶酪领域里很出名，但在其他类别里就不一定了。假如卡夫公司是我们的，我们会把精力放在为新品类树立新品牌上面。

在奶酪方面怎么样？卡夫在奶酪里的确是个响亮的名字，这没有疑问。

它的广告说："美国人管奶酪叫卡夫。"这真是糟糕的战略。

营销就像赛马。获胜的不一定是好马，全靠马在场上发挥出来的能力。在预购马赛上，获胜的是最劣等马中表现最佳者。在下注马赛上，获胜的才是头等马里表现最佳的。

卡夫在奶酪领域很成功。现在，说说看你还知道哪些奶酪品牌。

卡夫是预购马赛上的获胜者。

只有在没有品牌或者没有知名品牌的地方，你才可以搞品牌延伸。但是，一旦出现激烈的竞争，你就会遇到麻烦。

酒保检验法

除了购物单检验法之外，还有酒保检验法。你如果只说出品牌名，酒保会给你什么？

你要是说加冰J&B，给你的应该是苏格兰威士忌，你如果说Beefeater，得到的准是杜松子酒；如果要一瓶Dom Perignon，端过来的肯定是香槟。

如果说加冰顺风会怎么样？你一准会得到威士忌，但给你的是顺风Sark，还是价格较贵的顺风12年陈酿？

顺风12是威士忌里的无糖百事，由一个人人皆知的名字顺风和一个描述词12组成。从酿酒业的角度来看，这十分合乎逻辑，可是从酒客的角度看又如何？

Tanqueray公司曾引起过一阵轰动，它打算用它著名的杜松子酒品牌推出一种伏特加。Tanqueray的伏特加能从绝对和红牌伏特加那里夺走一部分市场吗？绝对不可能。

你在点加冰芝华士时，是想让所有的人知道你要的是最好的威士忌：芝华士威士忌。

你若想要顺风12，就不能只说顺风。而你加上12后，一点儿也拿不准酒保究竟听到没有，或者同样重要的是，坐在周围的人听到你说12了没有。

顺风12促销活动对于原先的顺风Sark品牌也毫无裨益。它是在不断地提醒喝顺风Sark的人：你喝的酒质量比较低。

顺风12是在芝华士之后推出的，所以我们本来就不该有多高的期望。不过，早在芝华士之前，美国市场上就有了一种12年的苏格兰威士忌品牌：尊尼获加的黑牌。

当然，芝华士如今的销量与黑牌相比大约是2∶1。

没有一个品牌能与世长存。许多品类（如服装和酒）中都含有时尚这个因素。过去热门的品牌都是“棕色”酒，如各种威士忌。如今热门的品牌是“白色”酒，如伏特加和龙舌兰酒。如果看到某处的龙舌兰酒比伏特加畅销，我们不会感到意外。我们能看到绝对龙舌兰吗？绝对能。

“伙计，给我来一份加一丁点儿苏打水的尊尼获加。”

“先生；要黑牌还是红牌？”

“啊啊，去它的吧。还是来一份芝华士吧。”

顺风12和尊尼获加的黑牌都是升级版的品牌延伸。它们的后果通常是：价格提高了，销量却不好。谁会花高价买低价品牌的东西？

Packard是什么

品牌降级延伸的问题正好相反。降级产品往往能立刻获得成功，其后遗症则发生得晚一些。

第二次世界大战之前，Packard是美国头号轿车品牌，甚至比凯迪拉克还强，在世界各地被看成是身份的标志。

各国首脑纷纷购买防弹Packard车，其中有一辆是为富兰克林·罗斯福总统定做的。它和劳斯莱斯一样，傲慢地拒绝采用小汽车制造商们每年换一个车型的方针。

到了20世纪30年代，Packard公司推出了它第一个降级车型，即价格相对较低的Parckard Clipper轿车。

Parckard Clipper轿车是Packard公司最成功的汽车，销量非常好，结果却毁了公司（说得更准确些就是，它毁了Packard的高贵定位，从而毁了公司）。

Packard公司苟延残喘，在1954年被Studebaker公司收购了。四年后最终消失。

凯迪拉克是什么

你了解凯迪拉克轿车吗？它车身有多长？有几种颜色？发动机是多少马力的？有几种样式可供选择？

对于普通的汽车潜在客户来说，通用汽车公司在凯迪拉克轿车的宣传方面几乎一无是处，但有一点它做的很好，它树立了凯迪拉克的定位：国产豪华轿车中最好的品牌。

可是，就连通用汽车自己不时也会忘记这一点：对每种产品都会有两种不同的观点。而大多数品牌延伸错误的发生是因为经销商不重视这个事实。

凯迪拉克是什么？尽管这个问题也许会让人感到意外，但是从通用汽车的角度来看，凯迪拉克根本不是汽车，而是公司的一个分支。事实上，它是通用汽车下属的盈利最多的部门之一。

在凯迪拉克的Seville问题上我们的观点是不对的。它至今还有市场。也许它没有我们想象的那么小。不过，凯迪拉克的下一个打入微型车领域的项目——凯迪拉克的Cimarron却失败了。但凯迪拉克分公司并没有气馁，它又卷土重来，推出了Catera，“能急转弯的凯迪拉克”。微型凯迪拉克轿车没有一个销量好，因为它与潜在顾客脑子里的观念相冲突：凯迪拉克是大型轿车。

可是，从购买者的角度来看，凯迪拉克是大型豪华轿车。诸位看到其中的问题了吧。

凯迪拉克如果像雪佛兰，就必败无疑。

由于汽油短缺，凯迪拉克开始担心了。于是，为了维持其盈利能力，通用汽车公司推出了一种小型凯迪拉克——Seville。

从短期来看，凯迪拉克分部卖出了许多Seville轿车。可是，从长远看，微型凯迪拉克车与凯迪拉克原本在人们心智里占据的大型轿车的地位发生了冲突。

因此，潜在客户看到Seville时会问："这还是不是凯迪拉克车？"

从长期来看，Seville不利于对奔驰的挑战做出最有效的回答，后者是另外一家汽车公司的高价品牌，由一家独立经销商销售。

雪佛兰的确将其领导地位让给了福特，而且在我们看来，是出于以下的原因。雪佛兰试图使自己满足所有人的需求。在过去的20年里，雪佛兰不断推出新品种，其种类超过了福特汽车。比如，雪佛兰眼下正在销售9个车型，而福特只有7个。不过，问题不仅仅是车型数量的多少，福特公司把更多的精力放在它的Taurus车型上。雪佛兰的重点是什么？谁知道？

雪佛兰是什么

无论是对汽车还是其他产品，你都可以问你自己一个老问题，从而知道自己在定位上有没有差错。这个问题就是：它是什么？

例如，雪佛兰是什么？是一种陷入"满足所有人需求"陷阱的轿车。一种产品若想让所有人喜欢，最终只会落得个无人问津的下场。

雪佛兰是什么？让我们来告诉你。它是一种既大又小、既便宜又昂贵的汽车。

那它为什么还是头号品牌？怎么没有把领导地位让给福特？

我们对此的回答是："福特是什么？"福特也面临同样的问题：它也是一种既大又小、既便宜又昂贵的汽车。

福特还有一个问题：它不仅是一辆汽车，还是一家公司、一个人。

有一个福特还好，可是在销售福特的水星或福特的林肯时会遇到真正的麻烦（这正是福特汽车公司在销售高价轿车方面总是阻力重重的原因之一）。

大众是什么

一出品牌延伸悲剧在走到它不可避免的结局之前，通常得演三幕戏。

第一幕是大成功、大突破。这通常是发现一个大空位并且出色地加以利用的结果。

大众汽车的崛起、没落、再崛起的经历是反映认知力量的最有力的故事之一。大众是第一个在人们心智中占据微型车定位的品牌。后来，它往大里想，销量骤然下降。再后来，它又往小里想，销量随即上升。教训是：不要试图改变人们的认知。

大众汽车公司树立了微型车地位，并且迅速地利用了这一突破。"往小里想"也许是有史以来最出名的广告，它毫不含糊地说明了它的定位。

很快，大众的甲壳虫在汽车市

场上建立了一个极其稳固的定位。就像大多数最经典的成功故事那样，大众不仅仅是一项产品的品牌名称。

“我开的是大众。”这话不仅是表明说话者拥有的汽车是由谁生产的。“我开的是大众”，谈的是车主自己的生活方式：这是一位务实、对自己的社会地位自信的人，开的是一种简单、实用的交通工具。

买大众的人反对势利眼，乐于贬低那些喜欢在邻居面前炫耀的车主。“1970的大众车型还会更丑。”这话充分表达了这种态度。

第二幕的高潮是贪婪和对无往不胜的向往。于是，大众公司把自己的可靠性和高质量延伸到了个头更大、价格更高的汽车上。延伸到巴士和吉普上。

这对汽车广告来说是个可笑的标题，对汽车公司来说是个可怕的战略。只要看一眼以下的数字就够惊人的了。1965年，大众公司只生产一种车型——甲壳虫，却占据了美国进口车市场的67%。后来，它实行了品牌延伸战略；到了1993年，它的市场份额还不足3%。当然，由于最近又推出了甲壳虫，销量又随着上升。一个尚未得到回答的问题是，假如大众公司这些年来集中精力生产甲壳虫，并且对其不断加以改进，情况会怎么样？

最终出了个Dasher，促销广告说：“大众自豪地进入了豪华轿车领域。”

“Dasher，优雅的大众。”

优雅的大众？广告上说：“豪华的内部装潢，齐全的设施。”这还是大众吗？那个务实、实用的方针出什么问题了？Dasher冲击了大众原有的生活方式。

“我信赖大众，而大众却不信赖自己”，这是大众忠实客户的悲叹。

可是，大众公司不愿意回到从前。“不同的大众，服务于不同的民众。”这则广告是对公司态度的最好总结。如今，大众公司拥有五种使用公司标志的不同车型。

第三幕是大结局。五种车型销量加在一起有没有可能不如一种车型？这不仅可能，而且是事实。

大众汽车从最初的第一进口品牌落到了第四，位于丰田、Datsun和本田之后（更令人心酸的是，本田公司的主题“简单到底”（Keep it simple）好像就是从大众的第一幕里搬来的）。

1971年，大众车占据了35%的美国进口车市场；到1979年，跌到了12%。

早期成功之后品牌延伸，随即幻想破灭，这一程式相当普遍，Scott和大众这样的公司不应坐吃山空，而应去寻找和征服新的领域。那么，它应该如何去寻找新领域呢？有一条明摆在面前的方法：开发一项新概念或一个拥有新定位的新产品，并且给它起一个与之相称的名字。

沃尔沃是什么

许多公司试图实行一种更加合适的品牌延伸形式。它们延伸的不是产品，而是延伸产品背后的概念。

以沃尔沃为例。沃尔沃是什么？

沃尔沃和许多汽车品牌一样，最近也遇上了麻烦，它过去在大型进口车方面拥有一个可靠性好的地位。也可以说它是一种可靠的大型甲壳虫。

沃尔沃的价格昂贵，而且开始销售豪华轿车、跑车、保安车甚至还有客货两用车。沃尔沃成了“有闲阶级的工作车”。

那么今天的沃尔沃是什么？它是一种可靠、豪华、安全、开起来很好玩的车。但是，功能越多越好玩这一点并不适用于定位。四个定位加在一起不比一个强。

于是，沃尔沃的销量下降，成了概念性品牌延伸的又一个受害者。

沃尔沃自从放弃豪华、速度和可靠性，决定只强调安全以来，销量开始上升。目前，沃尔沃公司在全世界销售了40万辆车，并且在购买者心目中拥有安全的地位（可惜，它现在又走上了歧途，生产两用车和双门厢式小客车）。宝马公司过去在建立起“驾驶”定位上也采用了完全一样的战略——“终极驾驶机器”。

名字是橡皮筋

它可以拉长，但不能超出某个极限。此外，你把名字延伸得越长，它就变得越脆弱（这也许与你想象的恰好相反）。

一个名字应该延伸多长呢？这既是个经济学问题，也是个判断性问题。

假设你要生产罐头蔬菜产品，你会不会分别给豌豆、玉米和豆角不同的品牌？可能不会。从经济的角度上看，这样做毫无意义。

因此，Del Monte的做法也许是对的，它生产的罐头水果和蔬菜都用一个品牌。但请注意，如果有个竞争对手只生产一个产品，情况会怎样？比如，都乐（Dole）牌罐装菠萝。

Del Monte在罐装菠萝产品上根本不是都乐的对手，都乐每个回合都赢。

假设都乐成功地使它的品牌成为香蕉的标志，那么它的菠萝产品会怎样呢？我们又遇到了跷跷板原则，一头是香蕉，另一头是菠萝。

都乐难道不能像Del Monte那样做，既是罐装食品又是新鲜食品的供应商？

当然能，可它要付出的唯一代价就是牺牲它有价值的菠萝销售优势，另外，它还要面对自己是第二个进行品牌延伸这一不利因素。

行事规则

我们称品牌延伸为“陷阱”，不称其为错误。品牌延伸能够产生效益的条件是……

这可是些苛刻的条件：如果你的竞争对手很愚蠢；如果你的销量很小；如果你没有竞争对手；如果你不想在潜在客户心智里建立一个定位；如果你不做任何广告。

事实是，市场上的产品不少，却没几个有定位的。

这就是说，顾客随意买下一个豌豆罐头，对其品牌并没有固定的偏好或定位。在这种情况下，任何一个知名品牌都卖得比任何一种不知名的品牌好。

另外，如果你为之工作的公司生产数千种销量很小的产品(3M公司是这方面一个典型的例子)，你显然不可能给每一种产品起一个新名字。

因此，我们提出以下几条行事规则，它们能告诉你什么时候该用延伸品牌，什么时候不该用。

(1) 预期销量。有获胜潜力的产品不该用，而产量不大的产品则该用。

(2) 竞争。在没有竞争的地方不该用，在竞争激烈的领域里则该用。

(3) 广告支持。广告开支大的品牌不该用，广告预算小的品牌该用。

(4) 影响。创新产品不该用，一般产品如化学品该用。

(5) 经销。上货架的产品不该用，由销售代表上门推销的产品该用。

这是我们经常遇到的情况。我们在做关于品牌延伸之危险的报告时，台下没有人记笔记。等到我们说现在要告诉大家，一家公司在什么时候能成功进行品牌延伸时，台下的听众们立刻纷纷拿起了笔。品牌延伸正是公司及其管理部门想做的事情。我们能够理解这种心态，因为这是定位思维的基础：心智很难改变。对于那些认定品牌延伸是条出路的人来说，要想让他们改变想法也同样困难。

POSITIONING

第14章

公司定位案例：孟山都公司

你可以给任何东西定位，一个人、一项产品、一名政客，甚至一家公司。

为什么要给一家公司定位？除了少数以并购为业的大公司之外，谁会去买一家公司？公司为什么要把自己卖掉？卖给谁？

公司的买卖

其实，许多公司都在被买进或卖出，只是名义不同罢了。

新雇员接受一份工作，就等于“买下”了雇用他的公司（该公司实际上是在通过其招聘计划销售自己）。

你喜欢在哪家公司工作？是通用电气公司，还是斯克内克塔迪电器制造公司（Schenectady Electrical Works）？

美国各地的公司每年都在争夺全国重点大学的优秀毕业生。依你看，哪些公司能争取到其中的佼佼者？

没错，是那些在潜在雇员心目中占据最佳定位的公司，如通用电气、宝洁，等等。

某人在买下一份股票时，他实际上买下的是该公司目前和将来之定位中的一份。

某人愿意为那份股票出多少钱，取决于该公司的定位在购买者的心智里有多大分量。

假如你恰好是该公司管理者，给这家公司进行有效的定位对你有许多好处，尽管这并非易事。

名字问题再度出现

首先是名字。尤其重要的是名字。你会相信普尔曼公司⊖在铁路车辆制造业里已无足轻重了吗？

你会相信客车运输收入只占灰狗（Grey hound）公司总销售额的一小部分吗？

Pullman和灰狗这两家公司都发生了巨大的变化，然而，它们在公众心目中的定位却几乎没有变。它们的名字把它们与过去的声誉牢牢地联系到了一起。

它们不是没有试图改变这一点；特别是灰狗公司，它花了数百万美元向金融界宣传自己"不仅仅是一家长途客车公司"。

可是，只要那些两旁带着灰狗标志的客车还在州际公路上来回穿梭，该公司的广告宣传就是一个代价昂贵的错误。灰狗公司如果不想只当一家客运公司，就必须起一个新名字，一个"不仅仅是客运公司"的名字。

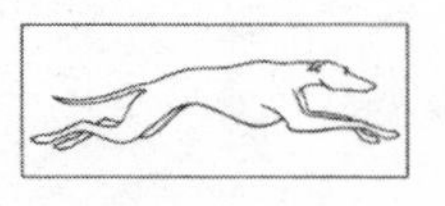

灰狗公司花了数百万美元，试图告诉投资人它"不仅仅是一家客运公司"。它如今是什么呢？还是一家客运公司。就这么回事。它不可能通过花钱来改变别人的心智。

即使起了一个合适的名字，公司的定位工作仍未完成，你公司的名字应当意有所指。

名字要意有所指

看看福特，人人都知道福特是一家汽车公司，但福特又是什么

⊖ Pullman，以其发明者命名的火车豪华车厢。——译者注

类型的汽车呢？

福特不能在某个具体的汽车品类上建立定位，因为它生产所有品类与型号的汽车，包括卡车（它是否应当这样做则另当别论）。

于是，定位问题就集中到了如何在所有类别的汽车上找到一个共性。

公司决定把“创新”当做福特汽车的主要特点，结果推出了“福特有更好的创意”的宣传活动。

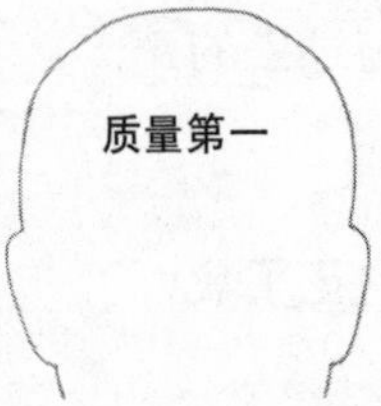

这不算太坏，但许多公司的宣传计划采取的都是一种陈旧、平庸的办法，其中最为陈旧、平庸的也许当属以人为本的理念了：

“人是我们公司最大的资源。”

“墨西哥湾各州的人，接受挑战吧。”

“格鲁曼公司：我们为自己生产的许多产品感到自豪，更为生产这些产品的人感到自豪。”

质量第一

福特公司过去有更好的创意，后来又转向目前正在展开的“质量第一”活动。谁在当今汽车业里拥有“优质”地位？我们的猜想是奔驰。它从来没有想过花钱抢占别人拥有的定位。

难道一家公司的人的素质与其他公司之间就没有任何区别了吗？

当然有。但是以素质更好的人为基础建立定位是另外一回事。

且不管这样说是对还是错，规模较大、经营比较成功的公司里的人素质一般都较高，而规模较小、经营不善的公司里的人一般都是别人挑剩下的。

所以说，你的公司如果在潜在客户心智中的产品梯子上占据首位，你就能肯定，他们同样也会认为你的员工素质最高。

如果你不是首屈一指，却告诉潜在顾客你的员工素质最高，那么，这种自相矛盾的结果通常对你不利。

“如果你那么聪明，那你怎么还没发财？”人们会一再提出与之类似的疑问。

如果福特公司真的有更好的创意，它为什么不用在市场上去赶超通用汽车，而是用在广告里去打动消费者呢？

如果克莱斯勒公司真的拥有更好的工程技术，它为什么不生产更好的汽车，然后用它们去打败福特和通用汽车呢？

通用汽车公司推出的宣传活动，尤其是“通用-优秀的标志”那个广告，也没有给它带来多少益处。如果你的品牌（如土星、雪佛兰、龙蒂亚克（Pontiac）、奥兹莫比尔（Oldsmobile）、别克和凯迪拉克）体现不出公司的名字，这项宣传活动一般来说等于白做。

这些疑问实际上并非就是以这种方式提出来的（福特公司可能拥有更好的创意，却仍然屈居第二）。但它们会从潜在客户的脑子里冒出来。

而你的广告要想成功，就得回答这些问题。

话又说回来了，公司规模大、人员的素质就高的观点就真的不合理吗？

我们把同情心送给那些不走运的公司，却把求职信寄给成功的企业。

多元化解决不了问题

除了“人”，最常见的公司定位主题当属“多元化”。各公司都

我们刚才是在讨论把“多元化”作为广告宣传的主题，而实际上这种多元化在经营上也没有任何意义可言。国际电话电报公司是个典型的例子，它勉强维持了一段时间后，最终分成了三个独立的公司。《聚焦：你公司的未来之所在》一书对这个概念进行了更为详尽的探讨。

想成为品种繁多、产品质量上乘的多元化生产企业。

多元化也非一个有效的公司发展途径。实际上，定位和多元化这两个概念南辕北辙。

事实是，潜在顾客心智里的强大定位是建立在重大成就而非宽泛的产品线上的。

通用电气公司因是世界上最大的电气制造商而出名，而不是一家生产工业、运输、化学和家用电器产品的多样化企业。

通用电气尽管生产数千种消费品和工业产品，其中成功的大多数是电气产品，不成功的大多数是非电气类产品。计算机就是其中的一个典型例子。

通用汽车公司因是世界上最大的汽车生产商而闻名，而不是一家制造工业、运输和家用产品的多元化企业而出名。

IBM因是世界上最大的计算机制造商而声名远扬，而不是众多办公设备的全球性生产企业。

公司也许能通过多元化生产赚取更多的利润，但它在企图建立一个多元化定位之前应三思而行。

就连股票市场也一向不看好大型集团企业，如ITT和Gulf + Western。Kaiser实业就是其中的典型例子。这家控股公司旗下有很多经营性公司，而它的股价一直低于其股票的净值。Kaiser公司解体后，股东从每份股票里得到的价值是21美元，而其市场价只有12美元。

有时候，公司会认为自己的宣传不够，需要集中精力做好宣传。但是如果定位概念过于宽泛，宣传会变得几乎毫无意义。

哪家公司会称自己是“工作、教育和娱乐信息系统的开发商和提供商呢”？

你觉得是贝灵巧（Bell&Howell）吗？对了，就是贝灵巧公司。

孟山都之路

一个简单明确的公司定义是定位工作的好起点。但是，最好的公司定位不仅仅是一个定义。最好的定位项目不能只停留在字面上，而是要落实在行动上。有时，文字本身也代表着行动。

让我们以孟山都公司最近实施的公司定位方案为例，对其展开讨论。

目标是让孟山都成为该行业的领头羊和代言人（暂且不确定是哪个行业）。

那么，究竟如何成为领先企业呢？

我们认为，历史表明，**公司应该第一个去做某件事情，以此来成为领导企业，而不是自称如何领先于人。**

IBM是第一家推出计算机的公司，施乐是第一个销售普通纸复印机的公司，杜邦是第一个经营尼龙的公司。孟山都能够在哪方面成为第一呢？

像孟山都这样的公司有可能在三个领域里树立其领先地位。让我们先逐个看看这三种可能性。

（1）产品领先。孟山都在产品领先方面做得如何呢？根据最近在年收入1.5万美元以上的大学毕业生当中进行的一项调查，孟山都在这方面做得相当不错。它虽赶不上通用汽车公司，但也不至于像美国汽车公司，而是介于两者之间。

公司名称	投票率
杜邦	81%
陶氏化学	66%
孟山都	63%
联合碳化物	57%
联合化学	34%
美国石灰氮肥料	29%
奥林	25%
FMC	13%

请注意，当年首先进入该行业的FMC公司是如何落到名单最后的。这并非怪事。

其实，孟山都、陶氏和联合碳化物这三家公司在名单上并列第二，从统计学的角度来看，相互之间的差距并不大。

谁是第一？当然是杜邦。

杜邦是又一个IBM、施乐或芝华士。

在特富龙、尼龙和涤纶等产品开发上的成功，使杜邦公司稳居第一。

想通过跟杜邦正面竞争，建立产品领导定位是毫无希望的。

更何况许多公司也在推行以产品领先为目标的公司计划，如联合碳化物、奥林、FMC，等等。

（2）运营领先。现在让我们看看第二种可能性——运营领先，

这在当前意味着维护自由企业制度。

孟山都有可能做第一个倡导自由企业的公司吗？

显然不能。广告理事会与美国商业部和劳工部在1976年联合发起了一个规模庞大的项目，旨在解释“美国经济制度及你在该制度中的角色”。

诸位都知道这是个庞大的项目，因为这些部门请查尔斯·舒尔茨[⊖]通过“花生”漫画来解释这些文字材料。

从40年前的沃纳-斯沃塞运动开始，许多公司也都一直在倡导自由企业制度。

德事隆在电视上做节目，解释“私营企业如何在德事隆内运作。”

德事隆主席威廉·米勒说：“鉴于人们目前对我们的许多制度信心不断下降，工商界有义务说明自己对社会的贡献。”米勒后来担任过财政部长。

联合化学公司也以“为人民而盈利”为主题进行过平面广告宣传活动。

“经济类广告太嘈杂了”，《纽约时报》对大量的自由企业制度宣传活动给于负面评价。

定位的一个基本原则是，避开那些人人都在谈论的领域，即风尚。若要取得发展，公司必须开辟无人涉足的新领域。

（3）行业领先。最后只剩下第三条途径，行业领先。孟山都有可能提高它在化工业里的领先地位吗？

孟山都在考虑该项目时，有一点是十分明显的：化工产品正在受到攻击。公众每天都在报刊杂志和电台电视上看到或听到有关化

⊖ Charles Schulz，美国已故著名漫画家。——译者注

工产品的坏消息。

这些新闻传递的信息十分强烈："化学品会致癌。"

当时，一股非理性的反化学品情绪正席卷全国。全国广播公司晚间新闻的这段评论（1976年9月4日）就很有代表性："人们在这一点上几乎观点一致：如今发生严重的化学事故的几率要远远大于发生核事故的几率。"

这个问题很严重。用很有影响的舆论调查机构扬克洛维奇-谢利-怀特公司的话来说："在损害人类健康的各种原因中，化学工业成了首恶。"

生活中的化学常识

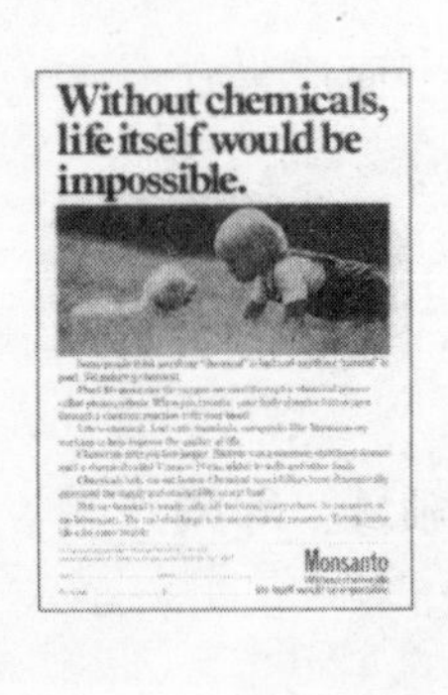

这是孟山都公司"生活中的化学常识"宣传项目里的第一则广告。

孟山都决定为化学品主持公道，告诉公众化学物质既有危险，也有益处。

"没有化学物质，生命不可能存在"，这是孟山都公司宣传计划的主题。它的第一个广告传递了下面的信息：

> 有人认为凡是"化学的"都是坏的，凡是"自然的"都是好的。然而，自然本身就是化学的。
>
> 植物通过一个叫做光合作用的化学过程产生我们所需要的氧气。你在呼吸时，你的身体通过血液的化学反应吸

收这些氧气。

生命是化学的。有了化学品，像孟山都这样的公司就能帮助你改进生命的质量。

化学品能帮助你活得更久。佝偻病过去在儿童当中是常见病，后来人们往牛奶和其他食物里添加了一种名叫维生素D的化学品，这种病就明显减少了。

但是，在任何时候、任何地方，无论是在自然界里还是在实验室里，没有一种化学品是完全无害的。真正的关键在于正确地利用化学品，让生活更精彩。

为什么是孟山都？孟山都公司为什么要为这个实质上是全行业的问题发表见解？

答案要回到定位战略上去找。为了使自己成为化学工业里公认的领头羊，孟山都必须做一个领先企业应该做的事情，这就是，为全行业说话。

如果等别人来开这个头，孟山都便会失去建立领导地位的大好机会。

孟山都劳有所得

在生活中，时机就是一切。对1976年化学工业的形势分析表明，形势好转了。公众舆论从此以后很可能更有利于化学公司，不管孟山都公司努力与否。

自然，“生活中的化学常识”宣传可能加快这个转变，而孟山都则会从中受益匪浅。

孟山都系列宣传品的第二个广告列举了一个普通的橘子里所含有的数百种化学物质。

确实峰回路转了。根据一项调查，公众对化学工业的支持率在不到两年的时间里从36%上升到了42%，这真是个不小的增长，同期，公众对石油业的支持率则从37%下降到了22%。这表明，如果价格上涨，而该行业对此不做适当的解释，其结果会如何。

就连《纽约时报》态度也有所转变，该报在一篇有关糖精的题为《致癌物质亦有用的例子》的社论里说："绝对禁止某样东西的问题在于，没有留出余地来权衡益处和风险。"

对孟山都公司之举的最高褒奖是在1979年《商业周刊》上的一篇文章，题目是《厘清化学品的形象》。

孟山都公司已经把重点从化学品转移到了基因工程产品上。其实它应该立足于化学工业才对。

"建立化学工业形象的运动，"这篇文章说，"这是由孟山都公司在1977年率先发起的。该公司董事长约翰·汉利看到化学品每次扮演的都是恶棍，认为是时候做些什么了。那年，该公司在树立形象方面花费了450万美元，而且从那以后每年的花费都不低于甚至超过这个数目。"

《商业周刊》还注意到了该公司的带头作用，它说："杜邦公司紧随孟山都之后，拨出400万美元开展此类广告宣传活动。"

在公司定位工作中，领导地位是可以在银行里兑换成现金的。无论你是化工企业、银行还是汽车制造公司，只要客户对你有好印象，你就永远比竞争对手做得出色。

POSITIONING

第15章

国家定位案例：比利时

机票价格不像过去那么贵了，世界成了旅游者的天下。

过去，国际旅游只限于那些年长、富有的人。如今，这一情况发生了彻底的变化。曾几何时，空乘人员年轻，而乘客年老。如今，年轻的是乘客，年长的倒是服务员。

比利时航空公司的处境

在各显神通争夺国际乘客的16家北大西洋地区大型航空公司里，有一家是比利时航空公司。但是，并不是所有的竞争者都在同一起跑线上。比如，环球和泛美这两家就一度在美国和欧洲两地拥有众多的门户城市。

而几年前，比利时航空公司在美国只有一个门户城市：纽约。所以，如果当时你不想去布鲁塞尔，就不能乘坐它的航班。除非遇上了劫持者，否则，比利时航空公司的每架飞机都会在比利时着陆。

这些统计数据在最近20年里基本上没变。人们去的最多的欧洲五大目的地依然是英国、德国、法国、荷兰和意大利。其中唯一的变化是，荷兰上升到第四位，意大利落到了第五位。

比利时航空公司尽管在飞往比利时的航线上占据了最大的份额，但这仍然少得可怜，因为飞往这个小国的人并不多。

下面是北大西洋地区旅客最近一年飞往16个主要国家的百分比。

国家	比例
英国	29%
德国	15%
法国	10%
意大利	9%
荷兰	6%
西班牙	5%
爱尔兰	5%
葡萄牙	4%
瑞士	3%
冰岛	3%
以色列	3%
丹麦	3%
希腊	2%
比利时	2%
挪威	1%
瑞典	1%

在潜在顾客心智的国家阶梯上，比利时如果还在这个阶梯上的话，也只能位于倒数几层。

只要看一眼上面这些数字，就能发现比利时航空公司的广告错在哪里。它实施的是传统的航空公司战略：宣传食品和服务。

一则典型的广告问道："必须是美食家才能乘坐比利时航空公司的航班吗？"但是，世界上所有的美食也不会吸引你去乘坐不飞往你目的地的航班。

给国家而不是航空公司定位

比利时航空公司最有效的战略显然不是给企业本身定位，而是给国家定位。换句话说，就像荷兰皇家航空公司（KLM）为阿姆斯特丹定位那样。

比利时航空公司必须把比利时说成是一个能吸引旅客逗留一阵的地方，而不是中途转机的地方。

另外，无论你是推销可乐、公司还是国家，其中都有一个简单明了的真谛：不为人知，就没有生意。

拿破仑是在比利时遭遇到他的滑铁卢之败的，可是几乎无人了解这一点。我们曾经在比利时由导游带着去旅行过，当时比利时航空的广告经理拒绝带我们去滑铁卢，说是："谁也不会对战争感兴趣。"比利时人也许是这样，但美国人却对战争感兴趣。每年有600万人参观葛底斯堡[2]，它是美国旅游者最爱光顾的景点之一。

大多数美国人对比利时几乎一无所知。他们以为滑铁卢在巴黎郊区，而比利时最重要的产品是华夫饼。许多人甚至不知道这个国家在什么地方。

"何日君再来[1]"就是对比利时的所有了解。

可是，如何给一个国家定位呢？好好想一想，人们对最成功的国家都有一些突出的印象。

提到"英格兰"，人们会想到皇家庆典、大笨钟和伦敦塔桥。

提到"意大利"，人们会想到古罗马圆形剧场、圣彼得大教堂和艺术珍品。

提到"阿姆斯特丹"，人们会想到郁金香、伦伯朗和那些美丽的运河。

提到"法国"，人们会想到法国美食、埃菲尔铁塔和景色旖旎的里维埃拉度假胜地。

---

[1] 一部流行的比利时电影名字。——译者注

[2] Gettysburg，美国南北战争时期战场之一。——译者注

这些地方在人们的心智中犹如明信片。以城市为例，人们的脑海中，纽约也许是一片高楼大厦的剪影，旧金山也许是缆车和金门大桥，克利夫兰也许是烟囱林立的灰色工业城。

显然，伦敦、巴黎和罗马都是第一次去欧洲的游客的首选之地，而比利时航空公司几乎没有任何机会争取到这些游客。

然而，美国有一大批有经验的游客想去那些二线旅游胜地，比如希腊的废墟、瑞士的山峦就不错。

一旦目标明确，寻找定位就不难了。

美丽的比利时

比利时是个十分美丽的国家，拥有许多吸引有经验的欧洲游客的东西，如有趣的城市、古老的宫殿、博物馆和美术馆。

奇怪的是，比利时人竟然认为自己的国家不是个很好的旅游场所。这种态度也许能从布鲁塞尔机场的一个标牌上体现出来，其中有一部分说道“欢迎来比利时。气候温和，但平均每年有220天下雨。”

伯爵城堡是比利时最值得一看的旅游景点之一。

结果，他们最喜欢用来吸引旅客的战略是，宣传比利时的中心位置和转机去其他地方——如伦敦、巴黎和罗马——的便利（你如果想去纽约可先飞到费城，因为它离纽约近）。

他们几乎没有考虑如何把比利时变成一个旅游胜地。你只要在布鲁塞尔市区随意地走上一圈就会发现这一点。你如果走进全欧洲最漂亮的广场——四面金碧辉煌的大广场（The Grand Place），会发现广场的整个中央地带竟然是停车场（后来，汽车终于禁止入内了）。

这里有一个严重的教训：本地人的认知往往和外来者不同。

大广场至今仍然是全欧洲最漂亮的广场。

许多纽约人不把纽约当成旅游城市。他们只记得清洁工人的罢工，却忘了自由女神像。但是，纽约每年吸引了1 600万想瞻仰那些“高大建筑”的游客。

三星级城市

“美丽”这个概念虽好，但的确不足以作为宣传旅游胜地的主题。要想把一个国家定位成旅游目的地，需要有一些吸引他们在此地至少盘桓数日的景点。

没人会专程去摩纳哥玩，因为它的头号景点蒙特卡罗只需一个晚上就看完了。摩纳哥的第二景观格雷丝王妃根本无缘一见。

显然，规模是个重要的因素。国家大，景点就多，国家一小就没了这个优势。假如大峡谷横贯比利时，就剩不下多少平地了。

解决规模问题的答案是从《米奇林指南》（*Michelin Guides*）里找到的。你也许不知道，该书是给城市和餐馆评定等级的。

该书的荷卢比三国分册评出了六个“值得专程一游”的三星级

城市，其中有五个在比利时：布鲁日、根特、安特卫普、布鲁塞尔和图尔纳伊。

可是，真正令人吃惊的是，它北面的邻居、旅游大国荷兰只有一个三星级城市：阿姆斯特丹。

这样，广告标题就是“在美丽的比利时，有五个阿姆斯特丹”，封面则是由五张比利时三星级城市的漂亮的四色印刷图片组成。

这则广告引来了大量游客的咨询，其中之一来自荷兰旅游部长。这个国家过去只是从阿姆斯特丹到巴黎的火车车窗上才能看到。

不用说，这位恼怒的荷兰人恨不得把这则广告连同它的制作人一起宰了。

这个“三星级城市”战略里有三个重要的地方值得一提。

20年来没有发生很大的变化，只有图尔纳伊丢了一颗星，《米奇林指南》的荷卢比分册则分成了两册，一本专门介绍比利时和卢森堡，另一册专讲荷兰。荷兰仍然只有一个三星级城市，所以比利时现在仍然以四比一领先于荷兰。一个营销项目如果能以由客观的第三方提供的“证明”为依据，其效果则要有效得多。

首先，它把比利时与游客心目中已有的目的地的阿姆斯特丹联系到了一起。在任何一个定位项目里，你如果能在一开始就利用上一个根深蒂固的观念，就等于在树立自身地位的工作中迈出了一大步。

第二，《米奇林指南》也是个早已深入游客心智的观念，它增强了上述概念的可信度。

第三，“五个值得一游的城市”使比利时成为一个真正的旅游目的地。

“美丽的比利时的三星级城市”概念最终搬上荧屏，反响强烈。

具有声像传播能力的电视广告能比平面广告更快地将一个国家的形象打入人们的心智。

但是，对于电视这个媒体同样存在误用的危险。这种情况往往在你的视觉材料与对手国家的视觉材料相似的情况下发生。

美丽的比利时

只靠图片不能在人们心智中建立定位。只有文字才能做到这一点。要想开展一个有效的定位项目，你必须“把图像文字化”。宣传文字押韵可能是一个有效的记忆手段。

回想你看到过的广告片上的加勒比海诸岛的画面，你能在脑子里把那些棕榈树和海滩区别开来吗？在别人说起拿骚、维尔京群岛或巴巴多斯时，你的脑海里会不会出现同样的明信片？

如果它们之间没有任何区别，心智会把所有这些视觉材料全都归入“加勒比海诸岛”一类，然后弃之不理。

同样的情况也会发生在那些古老的欧洲小镇或是那些面带微笑、向你晃着啤酒杯的村民身上。一架风车抵得上一千幅街景，不管拍摄得多么巧妙。

后来发生了什么

现在，你也许想问，为什么没怎么看到有关比利时及其三星级城市的宣传材料？

后来发生的一些事情使这个项目至今没能完全实施。这个教训值得任何正在建立定位的人学习。

首先，上述的电视节目正在制作时，比利时航空公司内部发生了人事结构变化。新的管理层对该项目并不热心，当设在布鲁塞尔的总部要求采取“通往欧洲的门户”战略时，他们很快就默许了。

这里面的教训是，**一个成功的定位项目要求其负责人长期投入**，无论此人是企业的领导、教会的首领还是航空公司的总裁。争夺游客的心智如同战争。**全军上下每一个成员都必须对战斗目标有一个统一的认识**。

另外一个问题出在比利时旅游局身上，出于政治上的原因，它一直理解不了其他非三星级城市为何不能成为该项目的一部分。

在这个传播过度的社会里，唯一的希望在于简化理念。把别的城市加进来，只会使问题复杂难懂。

这里面的教训是，定位也许会要求你极度简化你的传播内容。顺其自然吧。**复杂是定位的大敌，简单是定位的真谛**。

今天，乘坐比利时公司的飞机或专程去比利时的人不算多，除非正好要去欧共体工作。这太糟糕了。“美丽的比利时”原本能够成为一个有力的旅游定位项目，但它需要进行数十年不间断的宣传。如果说我们从这20年当中学到什么的话，那就是持之以恒的力量。

POSITIONING

第16章

产品定位案例：奶球

奶球（Milk Duds）是比阿特丽斯食品公司（Beatrice Foods）的品牌，它是一种用黄底棕字的小盒包装的糖果，人称“电影”糖果，但该公司却想把奶球的业务扩大到年龄更小、爱吃糖的群体中去。

奶球是一种外裹巧克力的焦糖豆，装在小盒里出售。

第一步

任何定位项目的第一步都是先了解潜在顾客的心智。

谁是奶球的潜在顾客呢？不是不懂事的小孩子。调查结果表明，奶球的最佳潜在客户是那些在糖果店里进进出出至少有好几百回、老练的糖果购买者。

普通奶球潜在顾客的年龄为10岁，是些小心、多疑、精明的糖果采购家，他们一向注重物有所值。

大多数定位项目无非是想了解一些显而易见的东西，但你如果过早地把焦点集中在产品本身，就容易忽略那些显而易见的东西。就像埃德加·爱伦·坡笔下的“被窃的信”一样，最明显的东西往往难以找到，因为人们对它熟视无睹。

10岁的孩子成为奶球广告的宣传对象。把目标限制在一个窄小的范围里通常是寻找有效定位的第一步。像奶球这样的产品也许对每个人都有吸引力（实际上也确实如此），但是，想让你的广告吸引所有人的做法往往是个错误。要让成年人间接地获得有关信息。

在谈到糖果时，潜在顾客的心智中出现的是哪个品牌？不是奶球，尽管10岁大的孩子也许隐约记得这个品牌。

对大多数10岁的孩子来说，提起糖果，他们会立即想起棒状糖这一概念。

如好时、雀巢、Mounds、Almond Joy、士力架（Snicker）、Milky Way等牌子的棒状糖。当然，这些品牌——还有其他一些棒状糖果的品牌——全都是花了几百万广告费。

重新定位竞争对手

奶球的广告经费有限，指望通过大做广告为其品牌建立身份几乎是不可能的。使奶球进入孩子心智的唯一办法是，设法给棒状糖果品类重新定位。

换句话说，就是设法将其定位成比棒状糖好的产品，使竞争对手花掉的数百万广告费反过来为奶球做宣传（在人们超载的心智里塞进一个新名字是不会有什么效果的）。

幸好，棒状糖有一个可以利用的明显弱点。看看现在好时棒状糖的大小、形状和价格，就会发现这个明显的弱点。

棒状糖吃不了多久。一个孩子在两三秒内就能吃掉一根售价30美分的好时。

爱吃糖的美国孩子内心有一种普遍的不满情绪。棒状糖果长度变短加剧了这种不满情绪：

“我好不容易挣来的零花钱买不了几块这种糖。”

“不是我吃得比以前快了，而是糖比以前短了。”

"现在一块糖眨眼工夫就吃完了！"

这正是棒状糖竞争对手的软肋。

奶球就不同了。它是用盒子而不是用纸袋包装的，能让孩子吃到15颗包着巧克力、不会一下子吃完的焦糖。

与棒状糖相比，一盒奶球能吃很长时间（你如果想把一盒糖豆全都塞进嘴里，就只能紧避双唇，否则就会掉出来）。这就是它在电影院里如此受欢迎的原因。

那么，奶球的新定位是什么？

耐吃的糖果

在美国，它是比棒状糖更耐吃的糖果。

这对你是个显而易见的答案，这对过去做奶球广告的人却不是这样。在前后做了大约15年的奶球电视广告里，一直没有提到过耐吃这个概念。

这是奶球耐吃定位的电视广告里的几个镜头。可惜的是，该公司的董事长不喜欢大嘴这个形象，竟然把这个项目取消了。奶球又回到了电影院里。

我们来看看这一则30秒钟的电视广告，看看耐吃——这个为10岁孩子带来益处的概念是如何表达的。

（1）从前有一个孩子，他有一张大嘴（画面上是一个孩子站在一张大嘴旁）。

（2）他喜欢吃棒状糖（孩子把

棒状糖一块接一块地扔进那张大嘴里）。

（3）可是，那些糖不经吃（孩子手里的糖没了，大嘴非常生气）。

（4）后来，他发现了包着巧克力的焦糖奶球（孩子举起奶球，大嘴垂涎欲滴）。

（5）大嘴喜欢吃奶球，因为它耐吃（孩子把奶球一个接一个地滚到大嘴的舌头上）。

（6）接着，孩子与大嘴齐声唱起歌来，那是广告的主题歌。即使棒状糖已成往事，你还能吃到奶球。

（7）往你嘴里放一些奶球吧。孩子和大嘴都笑了起来。

效果如何

这次电视广告宣传不但扭转了销量下降的趋势；而且在接下来的几个月里，比阿特丽斯食品公司奶球的销量超过以往任何时候。

奶球的案例告诉我们：定位问题的解决方法一般是从潜在客户的心智中而不是产品中找到的。

POSITIONING

第17章

服务定位案例：邮递电报

产品（如奶球）定位与服务定位（如西部联盟公司的邮递电报）之间有什么区别？

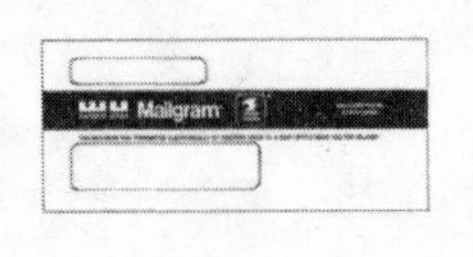

邮递电报是西部联盟公司与美国邮电局的合作服务项目。

区别不大，从战略角度来看尤其如此。大多数区别都是技术性的。

视觉 vs. 语言

在一则产品广告里，占主导地位的要素通常是画面，即视觉要素。在一则服务广告里，占主导地位的要素通常是词语，即语言要素（因此，你如果看到一则广告上有一幅巨大的汽车画面，就会断定它宣传的是汽车，而不是租车服务）。

在宣传奶球之类的产品时，首选媒体是电视，因为它是一种以画面为主的载体。

如果宣传的是邮递电报之类的服务，首选媒体是电台，因为它是以语言为主的载体。

自然，这些原则有许多例外的情况。如果人人都知道某产品是什么模样，那就没有必要用平面印刷、电视或其他形式的视觉媒体了。

反之，如果一项服务能有效地借助视觉符号（例如，赫兹租车公司用的辛普森[⊖]），视觉媒体往往能够达到宣传效果。

尽管有这些例外，令人吃惊的是，上述有关语言和视觉的一般

⊖ O. J. Simpson，美国著名棒球运动员。——译者注

原则往往被人丢在脑后。在一次为邮递电报做的测试里，报纸、杂志、广播和电视四大媒体中最有效的是广播。但是，邮递电报案例的核心是战略，不是媒体。在讨论战略之前，先看一下该系统的运作原理也许会有所帮助。

图像可能非常便于记忆，但它如果不与文字理念相结合，就会丧失其效力。谁忘得了辛普森在机场上从一个出口跑到另一个出口的场面？可是，赫兹公司想通过它向我们传递什么信息呢？天晓得！

电子邮件

邮递电报（mailgram）是美国最早的电子邮件，它是由西部联盟公司与美国邮电局共同开发、于1970年在有限的范围内试行的业务。

你若想发一份邮递电报，可以给西部联盟打电话，由它通过电子设备将信息传递到收报人附近的邮局。邮递电报一个工作日内就能送到。

这项服务在技术上很先进，以下展示了一封普通的邮递电报从纽约传到美国西海岸的全过程。

（1）纽约的客户拿起电话拨通西部联盟公司。

（2）西部联盟众多的24小时电话应答中心里的一位接线员记下客户的信息后，将其输入一台由计算机控制的录音机上。

（3）在与客户确定了信息内容和收报地之后，接线员按下一个键，信息便被自动送到位于弗吉尼亚米德尔敦的主机里。

（4）主机把信息处理后，再将其传到新泽西州格伦伍德的一个

这就是在邮递电报系统里起着关键作用的Westar人造卫星。后来，我们拼命劝说西部联盟更名为Westar公司，他们拒绝了。再后来，他们就破产了。改个名字有用吗？我们认为有。（当然，西部联盟这个品牌今天还在使用，但它只是一项货币转账服务，昔日的辉煌不复存在。）

地面站里。

（5）信息从这里进入太空，传到离地球35 880公里、围绕赤道同步运行的一颗Westar人造卫星上。

（6）然后，信息又从人造卫星上传到加利福尼亚州斯蒂尔谷里的一个地面站里。

（7）从这里，信息再通过陆地线路（或微波）传到离收报人住处最近的邮局里，在那里由一台高速电传打字机打印出来。

（8）然后，有人把这份电报放进一个蓝白两色的专用信封里，通过平常的邮递方式送到加州的收报人手里。

客户除了可以用电话之外，还能通过电传、电传打字电报机磁带、计算机、传真机或通信打字机发邮递电报。

为什么提及这么多技术术语？为什么要讨论邮递电报系统中的复杂细节？

为了说明一个重要的问题。大多数广告宣传项目向来都是只介绍所提供产品和服务的详细情况。哪项服务越复杂、越是有趣，这种情况就越有可能发生。负责推广的营销人员心里只有服务，却全然忘记了顾客。其实，按照传统的做法，可以把邮递电报说成是一种“新型自动化计算机电子通讯服务”之类的东西（西部联盟仅在计算机程序编写上就花了好几百万美元，更不用说在地面站、卫星等设备上花费的巨大开支了）。

低价电报

不管你投入了多少钱、不管你提供的服务多么有趣，若想使之打入潜在客户的心智，你必须把它同已有的东西联系起来，不能完全忽略已有的东西。

你不能对客户心智里早已存在的事物置之不理。每当你说起“西部联盟”，大多数人会想到老式电报。

那么，潜在客户心智中已有的是什么呢？当然是电报。

你无论在什么时候提到西部联盟，普通人的脑子里会出现世界历史上那张最出名的黄色信纸。而邮递电报这个品牌里的“电报”一词只会增强这个认识。

那么，这种新式电报和老式电报之间有什么区别呢？

主要的区别是价格。两种电报用的是同一种格式，都要求立即发出。但是，黄色的老式电报的价格是新的蓝白两色的邮递电报的三倍。

所以，最初为邮递电报设想的定位主题很简单：“邮递电报：作用跟电报相同，费用却是它的一小部分。

就在这时，有人说：“别忙。为什么要参照老式电报来定位，它不也是西部联盟的业务吗？干嘛要抢自己的生意。而且，老式电报的业务量正在下降。为什么把邮递电报这样的新式现代化服务同一个风光不再的旧业务做比较？老式电报还在起着重要的作用，但它不是

我们在公开场合说：“老式电报仍然在起重要的作用”，私下却告诉西部联盟的董事长，老式电报已没什么前景。广告公司必须比这个还要圆滑，这就是我们如今当上了营销顾问的原因之一。

个成长型业务了。”

逻辑无懈可击。但实际情况往往是，逻辑未必就是应付人类心智的最佳战略。但是，毕竟逻辑这么合理，还是值得再三考虑的。而且我们还有另外一个有价值的定位。

快速信件

其实，名字本身就说明了第二个定位方法。我们可以把邮递电报同美国邮政联系起来。

假如西部联盟想让邮递电报夺走另外一项服务的业务，根据以下数据，针对普通信件来定位该项新服务会好得多。

在最近一年里，有580亿封一类信件投进了美国6 900万个信箱里，相当于每家每年收到了840封一类信件。

老式电报只占其中非常小的一部分。

于是推出了第二个主题“邮递电报：传递重要信息的新型快速服务。”

哪种方法更好？尽管“低价电报”有一些负面因素，但根据定位理论，它有着比“快速信件”更好的发展方向。但是，由于邮递电报可能对西部联盟的未来太重要了，不能只凭主观判断来做出决策。于是，对这两项宣传活动都运用了计算机数据跟踪其试销的结果。

低价 vs. 快速

市场测试规模庞大，像皮奥里亚这类的微型市场就根本不考虑在内。邮递电报的六个试营业城市是波士顿、芝加哥、休斯顿、洛杉矶、费城和旧金山，全是重要的大型通信中心。

谁占了上风？实际上，两项宣传活动都很有效。以下是在这次为期13周的宣传中，邮递电报在受试市场销量上升的数据：

宣传快速信件的城市	上升了73%
宣传低价位电报的城市	上升了100%

光凭这些数字就足以证明，“低价位电报”占据了优势地位。但是，真正起决定作用的是受试城市对该产品的认识程度，这个程度在项目开展之前和之后都进行了测定。

下面的数字表明，在印刷品和广播广告出现之前，有多少人能够正确地描述邮递电报是什么。

宣传快速信件的城市	27%
宣传低价位电报的城市	23%

从统计学的角度上看，彼此差别不大，表明这些城市的基本情况相当。换句话说，该市场中大约有1/4的人早就了解邮递电报。

可是，打过这轮广告之后，两组城市之间出现了很大的差别。下面是13周之后，人们对邮递电报的认识程度。

宣传快速信件的城市	25%
宣传低价位电报的城市	47%

尽管这看上去不可思议，在宣传快速信件的城市里，对邮递电报的认识程度实际上反而下降了。从27%降到了25%（其实，这在统计学上意义并不大）。

那么，在宣传快速信件的城市里，增加的业务量来自何处？显然来自那些了解邮递电报并且在广告的提醒下使用这项服务的人。

在宣传低价位电报的城市里，情况完全两样。人们对邮递电报的认识程度提高了一倍多，从23%上升到了47%。

这不仅是个大的飞跃，这些数据还表明，在宣传低价位电报的城市里，邮递电报业务量的增长有可能持续更长的时间。远远不止13个星期。

至于老式电报，在邮递电报试运行期间，西部联盟还在广告推出之前、其间和之后对受试城市的老式电报业务量进行了检测。他们发现，该业务量相当稳定。现在，该公司觉得，在广告上把邮递电报说成是一种低价电报，不仅没有影响老式电报的业务量，反而使之有所提高。

那么，自从广告战略问题得到解决以来，邮递电报销量如何呢？大获成功。邮递电报成了西部联盟公司最盈利的服务项目之一。

年收入逐年大增。8年期间，邮递电报每年的营业收入从300万美元增加到8 000万美元。

但是，有一件事情没有变。那就是这项服务背后的定位概念。关于邮递电报的每一则广告，无论是报刊、电视还是电台广告都围绕着这样一个基本概念：“邮递电报：作用跟电报相同，费用却是它的一小部分。”

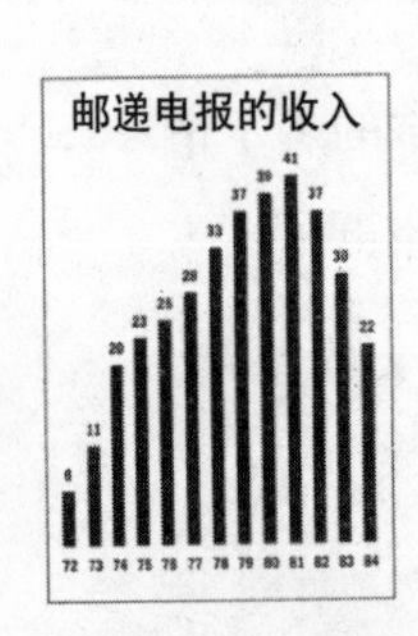

西部联盟在1981年结束了与我们的合作，聘用了另一家广告公司，后者不久便放弃了“邮递电报：作用跟电报相同，费用却是它的一小部分。”这个战略。结果在之后的三年里，邮递电报的业务量逐年大减。当然，没有一种产品或服务能与世长存。从长期来看，面对先进的传真和电子邮件，邮递电报过时了。

POSITIONING

第18章

给长岛的一家银行定位

银行和西部联盟公司一样，销售的都是服务，不是产品。但邮递电报是一项全国性业务，而银行只提供区域性业务。按照法律，银行通常只限于在一个州、县甚至城市里开展业务。

如今，情况发生了改变。花旗银行、大通银行、美洲银行、富国银行、第一银行公司等都在努力发展成全国性的银行。历史告诉我们，这些银行当中只有两家最终会在该行业里占主导地位（二元法则）。

其实，给一家银行定位就像给一家百货公司、一家日用品商店或任何其他类型的零售企业定位一样。要想成功地为一家零售店定位，必须了解它的销售区域。

长岛银行业的状况

要了解长岛信托公司的定位是如何建立的，应该对长岛地区有所了解。

多年来，长岛信托公司是长岛银行业的领导者。它是当地最大的银行，营业点最多，赢利最多。

然而，到了20世纪70年代，长岛银行业的竞争战场发生了剧烈的变化。一项新的法律允许银行在整个纽约州开设分行。

从此以后，许多设在纽约市的大银行——如花旗、大通曼哈顿和化学银行——在长岛站稳了脚跟。

同时，大量的长岛居民每天去纽约市上班，于是把他们的部分金融业务交给这些银行办理。

但是，大城市银行对长岛信托公司销售区域的渗入只是问题的一方面。真正重要的领地在银行潜在顾客的心智中。有一项小小的调查传递出许多坏消息。

绘制潜在客户的心智地图

现在你知道了解潜在顾客的心智该有多重要了。这不仅是关于你的产品或服务，还是关于竞争对手的产品或服务。

人们的见解往往是凭直觉产生的。大家用不着花几十万美元搞调查，就能知道西部联盟是老式电报的化身，也无需做多少调查就能确定奶球、比利时和孟山都公司的定位。

但是通常，通过正规的定位调研手段绘制潜在客户的心智地图可能是极其有用的。这样做不但有助于制定战略，还有助于向最高管理部门推销这个战略（一位在某公司工作了30年的首席执行官对该公司的看法与一位潜在客户的看法显然不会一致，而这位客户在同样的30年里与该公司的接触可以用分钟甚至秒来测量）。

“绘制潜在客户的心智地图”这项工作一般是通过一种叫做“语义分化”的调研方法来完成的。在为长岛信托公司制定定位计划时，使用的就是这种方法。

在语义分化调查中，潜在客户拿到一组属性，要求他在各项属性中分别给每一家入选的公司评分，一般是从1到10。例如，价格可能

大多数市场调查明显关心的是顾客和潜在顾客对公司的评价。顾客对你公司及你的产品或服务的看法实际上并不重要。重要的是如何将你的公司与竞争对手相比较。这就是我们在这些年来大量运用语义分化法的原因。

是其中的一项。在汽车制造业里，凯迪拉克显然会被放在高分段，而雪佛兰会被放在低分段。

在金融业里几乎没有价格这个概念，所以用的是其他项目。入选的有：(1) 营业点多；(2) 服务项目齐全；(3) 服务质量好；(4) 资本量大；(5) 方便长岛居民；(6) 有助于长岛经济发展。前四项是与一家具体银行打交道的基本依据，后两项则是专门针对长岛具体情况的。

在基本依据方面，长岛信托公司的情况十分堪忧，因为在这四项里潜在客户全都把它排在最后一位。

营业点多

银行	得分
化学银行	7.3
北美国立银行	6.7
欧洲美国银行	6.6
大通曼哈顿	6.4
花旗银行	6.1
长岛信托	5.4

服务项目齐全

银行	得分
化学银行	7.7
花旗银行	7.7
大通曼哈顿	7.6
北美国立银行	7.4
欧洲美国银行	7.3
长岛信托	7.0

服务质量

银行	得分
化学银行	7.2
花旗银行	7.0
北美国立银行	7.0
大通曼哈顿	6.9
欧洲美国银行	6.8
长岛信托	6.7

资本量大

银行	得分
化学银行	8.2
大通曼哈顿	8.2
花旗银行	8.1
北美国立银行	7.8
欧洲美国银行	7.7
长岛信托	7.1

然而，在有关长岛自身的两项里，情况正好相反。

方便长岛居民

银行	得分
长岛信托	7.5
北美国立银行	6.6
欧洲美国银行	5.2
化学银行	5.1
大通曼哈顿	4.7
花旗银行	4.5

有助于长岛经济发展

银行	得分
长岛信托	7.3
北美国立银行	6.7
欧洲美国银行	5.4
化学银行	5.4
花旗银行	5.3
大通曼哈顿	4.9

在与长岛相关的项目里，长岛信托公司升至首位。考虑到名字的威力，这一结果并不令人感到意外。

制定战略

长岛信托公司应该何去何从？常识告诉我们，接受自己的长处，改善自己的短处。换句话说，打出广告告诉潜在客户，我们有一流的服务、和蔼可亲的出纳，等等。

可是，传统智慧不等于定位思维。定位理论认为，你必须从潜在客户主动给予你的评价上着手。

而潜在客户给予长岛信托公司的唯一评价是“定位于长岛”。如果接受这个定位，该公司就能把入侵的大城市银行驱逐出去。它的第一则广告推出了这个主题：

> 既然人在长岛上，干嘛把钱存到城里？
>
> 把钱放在家门口最保险。别放在城里的银行，要放在长岛信托公司，这样做能为长岛做贡献。
>
> 毕竟只有我们致力于长岛的发展。
>
> 而不是为曼哈顿岛，也不是为科威特附近的某个岛屿。
>
> 好好想一想，谁最关心长岛的未来？
>
> 难道会是一家刚刚来到长岛，同时又在大都市里拥有数百个营业点外加五大洲分行的银行吗？
>
> 还是一家像我们这样扎根长岛50余年、并且在本地开设了33个分理处的银行？

这是长岛信托公司宣传活动的第一则广告。如果我们在过去的20年里学到了什么东西的话，那就是像这样的营销项目需要更加注重公关。我们本该鼓励该公司的董事长除了接受报界采访之外，还应在电台和电视上大做广告。这场大卫与巨人歌利亚之间的搏斗肯定会成为一则轰动性的奇闻。

第二则广告上印了一张照片，上面是一座带有北美花旗银行标志的大楼和几棵棕榈树。

一家城市银行[1]在拿骚[2]有家分行，那里未必就是你的拿骚。

你很可能会发现它原来是在巴哈马。那是大银行最喜欢的地方之一。实际上这些跨国机构在巴哈马群岛和开曼群岛注册的贷款资金高达750亿美元。

这本身没什么不对的，只是对你没多大好处，如果你的家在长岛。

长岛不仅是我们最爱的地方，也是我们唯一的营业地区。我们在拿骚有18个营业点，在昆斯和萨福克有16个营业点。

而且,我们在这里半个多世纪了。在财务上，我们95%的贷款和服务项目都是针对长岛人及其家庭、学校和企业的。

这场宣传活动的其他广告也使用了相似的主题：

“这是一座漂亮的旅游城市，但你会在那里与银行打交道吗？”

“对一家城市银行来说，真正重要的岛是曼哈顿岛。”

这是长岛信托定位宣传中的第二则广告。对一个在纽约州格雷特内克拥有住房的人来说，拿骚是一个征收房地产税的县。对曼哈顿的一个银行家来说，拿骚是巴哈马的一个岛屿。

这是长岛信托宣传系列中的第三则广告。就在此时，纽约市遇到了严重的财政困难。这则广告暗示的是，纽约市也许想动用你的存款来填补它预算上的漏洞。

[1] 花旗银行的英文名Citybank是城市银行的意思。——译者注

[2] 加勒比海岛国巴哈马的首都是拿骚，长岛的一个县也叫拿骚。——译者注

（一幅小小的长岛画面在一幅巨大的曼哈顿画面旁边相形见绌。）

“如果遇到困难时期，那些大城市银行会不会一走了之？”（回到城里去。）

15个月之后，又进行了同样的调查。长岛信托公司的地位在每一项里有了很大改善。

营业点多

银行	得分
长岛信托	7.0
北美国立银行	6.8
化学银行	6.6
花旗银行	6.5
大通曼哈顿	6.1
欧洲美国银行	6.1

在“营业点多”一项里，它从最后一名跃居首位，尽管其他银行有更多的营业点，比如，化学银行在长岛的营业点是长岛信托的两倍以上。

服务项目齐全

银行	得分
花旗银行	7.8
化学银行	7.8
大通曼哈顿	7.6
长岛信托	7.3
北美国立银行	7.3
欧洲美国银行	7.2

在“服务项目齐全”一栏里，长岛信托上升了两位，从第六位升至第四位。

服务质量

银行	得分
花旗银行	7.8
化学银行	7.6
大通曼哈顿	7.5
长岛信托	7.1
北美国立银行	7.1
欧洲美国银行	7.0

在“服务质量”一栏里，长岛信托也从第六位上升到了第四位。

资本量大

银行	得分
长岛信托	7.0
化学银行	6.7
花旗银行	6.7
北美国立银行	6.6
大通曼哈顿	6.6
欧洲美国银行	6.4

在“资本量大”一项里，长岛信托从末位跃升至首位。

除了在调查中，在各个营业点这种变化也随处可见。“在这家首先提出定位概念并得到广泛认同的广告公司的帮助下，”长岛信托的年度报告中称，“我们这家得天独厚的银行——长岛信托公司——建立了长岛人的长岛银行的定位。人们对这次宣传活动的反应既迅速又令人满意。”

你也许会认为，一家银行宣传它所服务的地区，这显而易见。的确如此。

但是，最好的定位理念往往就是这么简单，简单到了大多数人对之熟视无睹的地步。

长岛信托公司如今已不复存在，它被一家更大的银行兼并了。但愿这场宣传活动能抬高它的身价。

POSITIONING

第19章

给天主教会定位

本书是一本关于广告的著作，其实也是一本关于宗教的著作。

这么说太离谱吗?

不完全是。因为任何宗教的实质都是传播，将教义通过教士传给信众。

问题不在于神学教义的完美精深或信徒们的缺陷，而在于教士。

教士如何把传播理论应用到传教中，这对宗教如何感化信徒有很大的影响。

身份危机

不久以前，定位思维被应用到了天主教会上。换言之，这个庞大的机构像大公司一样处理传播问题。

该要求的提出者不是教皇或哪个红衣主教委员会，而是一个非神职人员团体，该团体非常关心一位著名神学家响应第二届梵蒂冈公议会中的改革而提出的“身份危机”问题。

我们很快发现，天主教会的传播工作可用杂乱无章来形容。

尽管教会花大力气进行技术上的改进，但是那些宣传项目缺少一个强有力的中心主题和连续性（在传播过度的电子时代里，这是一个特别严重的问题）。

这就如同通用汽车公司没有整体的广告宣传计划一样。所有的宣传工作都来自各地的经销商；有些做得不错，而更多的人则做得一团糟。

大量的问题可以追溯到第二届梵蒂冈公议会。

在那之前，这个兼办慈善事业的教会在其忠实信徒的心目中占据着一个明白无误的定位。过去，在大多数人看来，天主教会是教律法的教师，特别注重各项法规和奖惩，无论是年长者还是年轻人，一律平等对待。

第二届梵蒂冈公议会让天主教偏离了律法与秩序维护者的定位。许多规章制度被认为是多余的而加以取缔。礼拜仪式和方法被随意改动。灵活性取代了恪守常规。

可惜的是，在进行这些激烈的改革时，罗马没有广告经理。没人对所发生的一切进行总结提炼并且用简洁的语言提出一个计划来解释新的方向。

缺乏一致性的传播项目持续了几年，天主教会仍没有认识到问题的严重性，这也是可以理解的。

失去影响

最令人困惑的是缺乏一个对新教会的明确定义。

信徒们悄悄地问道“你如果不是律法教师，那是什么？”

第二届梵蒂冈公议会结束以来，对此没有一个简单答案，也没人试图在信徒心智里——更不用说在教士的心智里——给教会重新定位。

由于得不到回答，混乱趁机而人，许多人则选择离开。

天主教徒参加弥撒的比例首次降到了50%以下。

教士、修女和修士的数量比10年前减少了20%，信徒则减少了60%。

最后一组统计数字尤其重要。天主教会目前是“美国社会中最大的道德权威团体”（这是基督教新教神学家彼得·伯杰（Peter Berger）最近给它的头衔）。

然而，当24 000名具有高度影响力的高级管理人员应《美国新闻与世界报道》之请，对主要机构之社会影响做出的评价时，天主教会和其他有组织的教会毫无希望地排在最后（见下表）。

劳工联盟	66%	财经机构	25%
电视	65%	民主党	22%
最高法院	65%	杂志	20%
白宫	54%	教育机构	18%
报纸	47%	政府内阁	18%
政府机关	46%	广播电台	15%
联邦参议院	43%	广告公司	15%
联邦众议院	36%	共和党	8%
工业	33%	有组织的教会	5%

显然，天主教会的道德权威地位没有得到很好的宣传。

教会的作用是什么

“天主教会在现代社会的作用是什么？”

这个问题问过教士、主教和非神职人员，答案却千差万别。

有人说用一两句话回答不了。有人说答案不只一个。（还记得“满足所有人需求”的陷阱吧？）

公司管理人员通常都能回答此类问题。如果你问通用汽车公司的经理，他们完全可能把自己看做是世界上最大的汽车制造商。各公司经常要花几百万元设法找出并宣传自己产品的实质，如“白上加白”或者“佳洁士，防止蛀牙”。

天主教会必须用简单、明确的词语回答这个尚未得到答案的问题。它还得把答案放进一个整合的宣传项目里。然后，它还得以一种全新的戏剧化方式把这个定位在全体教徒当中宣传开来。

对一家公司来说，制定一个树立形象的项目的必要条件通常是，回顾过去的做法，直到找出自己的基础业务是什么。这就要求它审视过去的各种计划和项目，看看哪些发挥了作用，哪些没有效果。

在天主教会的案例中，你必须回到两千年前，追溯它走过的历程。除了往年的年度报告之外，你还得依靠《圣经》来寻找答案。

在为教会的作用寻找一个简单明了的表达方式的时候，《福音书》里有两段明确的陈述也许能提供答案。

第一，《马太福音》里记述道，耶稣在世上传道期间，上帝谕示人类要聆听他的备受爱戴的儿子传授福音（《马太福音》第17章第23节）。

第二，耶稣在离开人间的时候指示门徒把从他那里听到的一切告诉所有的人（《马太福音》第28章第19节）。

福音教师

从圣经上可以明确地看到，耶稣把教会看做是“福音教师”。

既然他是“上帝之子”，我们必须认定他的话是永世的福音。耶稣的教诲不只是对当时的人说的，也是对今世的人说的。

所以，这些教诲中的寓意必然放之四海而皆准，而且永远不会过时。它们既简单又深邃。基督通过这些教诲为古往今来的人提供了思想和行动的食粮。

因此可以说，现在宣讲福音的人应当而且能够把这些旧信息以一种新的形式在他自己的地方、自己的时代、用自己的方式传播开来。

于是，这个历程的回顾使人们确定了教会的作用，即让耶稣活在子子孙孙的心中，让子孙后代用他的教诲来解决自己遇到的问题。

从许多方面来看，第二届梵蒂冈公议会似乎让天主教会倒退了，而不是指引它向前，即从“律法教师”变成“福音教师”。

对于这么一个复杂的问题，上述答案似乎过于简单，而且几乎是显而易见的。

的确如此。过去的经验告诉我们，定位工作就是寻找那些显而易见的东西；它们是最容易传播的概念，因为它们对信息接受者的意义最大。

可惜的是，显而易见的概念同时也是最难认识到和最难传播的东西。

人们倾向于崇尚复杂的东西、不屑于显而易见的东西，认为它们太简单了。例如，许多天主教教士推崇由一位叫艾弗里 · 杜勒斯（Avery Dulles）的著名神学家提出的有关教会作用的定义。他说，教会的作用不是一个，它要扮演六种不同的角色。

实施定位

一旦分离出显而易见的概念，下一步就是寻找实施它的方法。

首先也是最重要的一步是进行布道培训。要想起到“福音教师”的作用，教士必须具有远远胜过常人的口才，必须成为远胜过他人的布道家（如今，最好的宗教演说家不是在教堂里，而是在礼拜天早晨的电视上）。

除了布道培训之外，推出一部名叫《回归初始》（*Return to the Beginning*）的入门电影。

任何重大宣传工作开始往往需要搞一些戏剧化的东西以吸引人们的注意。在这方面的工作中，电影是一种十分理想的、用以唤起人们情感的媒介（这也是电视在推销新产品方面功能如此强大的原因）。

还可以在宣传活动中采取许许多多的其他手段，但全都要围绕教会是“福音教师”这个主题来精心策划构筑。

要点是，定位战略一旦确定，就为该组织的所有活动指明了方向，即便像天主教会这样一个庞大、复杂的组织也是如此。

结果如何

毫无结果。

要想说服天主教会的管理层实施这个解决方案实在是太难了。

主教们不光拒绝听普通信徒对他们如何管理教会的建议，而且，

现任教皇把天主教会又带回到了保守的过去。我们不久就会看到下一位教皇将何去何从。

这个方案在他们看来过于显而易见，他们无法接受。简单不如复杂有吸引力。

这一点可能要在以后的著作中讨论了。⊖

⊖ 这本书名为《简单的力量》，此书中文版已由机械工业出版社出版。——译者注

POSITIONING

第20章

给你自己和你的职业定位

如果定位战略能用来推销产品，为什么不能用来推销你自己呢？

没有理由。

所以，让我们来回顾一下定位理论，看看它能否运用到你个人的职业上。

定义自己

你是什么？人和产品都有相同的问题，想让所有人都满意。

关键在于潜在顾客的心智。人们很难把一个概念同每一种产品联系起来；如果是两个、三个甚至更多的概念，就更不可能了。

定位工作中最难的一点是，选定某个具体的概念，把它与自己联系起来。你如果想穿过潜在客户漠不关心的壁垒，就必须这么做。

你是什么样的人？你在生活中的定位是什么？你能用一个概念来概括你自己的定位吗？要是能的话，你能通过自己的职业来确立这个定位并加以利用吗？

大多数人没有足够的信心为自己确立一个概念。他们犹豫不决，指望别人来给自己下定义。

“我是达拉斯最好的律师。”

是吗？假如我们在达拉斯法律界做一次调查，你的名字会被提到多少次？

“我是达拉斯最好的律师”，这个定位的确立需要有一定的天分和运气，但更要靠战略。第一步是找出你自己的定位概念。这可不容易，但其回报也许十分可观。

要能犯错误

任何值得做的事情都值得一试。如果是不值得做的，那就根本不该去做。

反过来说，如果是件值得做的事情，而你却等到你能做得尽善尽美以后才去做，因而迟迟不动手，你就可能永远都做不成了。

因此，任何值得一做的事情都值得一试。

如果你试过多次并且偶尔取得成功，你在公司里的名声可能很好；如果你害怕失败因而只做有把握的事情，你的名声可能反而不如前一种情况。

人们至今还记得泰·科布（Ty Cobb），他偷垒134次，成功了96次（70%的成功率），却忘了麦克斯·凯里（Max Carey），此人在53次偷垒中成功了51次（成功率高达96%）。

埃迪·阿尔卡罗（Eddie Arcaro）可能是有史以来最伟大的赛马骑师，但他一连失败了250次后才获得第一次胜利。

名字要合适

有谁还记得莱奥纳德·斯莱（Leonard Slye）？在他改名为罗伊·罗杰斯（Roy Rogers）之前，几乎无人知道，改名是成为电影明星的重要一步。

那么，马里恩·莫里森（Marion Morrison）呢？他的原名放在一个彪悍的牛仔身上有点儿女人气，因此他改名为约翰·韦恩

(John Wayne)。

还有伊苏尔·达尼埃洛维奇（Issur Danielovitch）。他先是改名为伊萨多·德姆斯基（Isadore Demsky），后来又改为科克·道格拉斯（Kirk Douglas）。

小奥利弗·温德尔·霍姆斯（Oliver Wendell Holmes Jr.）说过："命运给他起了个常见的名字，是为了把他掩藏起来。"

普通法赋予你起任何名字的权利，只要你不是为了诈骗或做假。所以，别给自己起名为麦当劳，然后去开一家汉堡包店。

拉尔夫·利夫希茨？

你如果叫拉尔夫·利夫希茨（Ralph Lifshitz）该怎么办？你会像拉尔夫·利夫希茨那样把名字改成拉尔夫·劳伦吗？别太肯定。多年来，我们曾建议许多商界人士改名字，至今还没有一个接受建议的。

同样，你如果是个政客，别用闻所未闻的名字。卢瑟·诺克斯（Luther D. Knox）在参加竞选路易斯安那州州长的预选时，通过法律手续给自己改了个这类的名字。可是，一位联邦法官把这个闻所未闻的名字从候选人名单里划掉了，理由是这样做有欺骗的嫌疑。

避开无名陷阱

许多商界人士本人及其企业都身受首字母缩写之苦。

年轻的管理人员发现，最高层经理们在自己名字里通常都使用首字母，如：J. S. 史密斯、R. H. 琼斯。于是，他们也在备忘录和信件里竞相效尤。

这样做是错的。你只有在人人都知道你的情况下才能这样做。如果你正在步步高升，如果你试图让最高管理层牢牢记住你的名字，你需要的是一个名字，不是一组缩略字母。出于完全一样的原因，你的公司也应如此。

把你的名字写在纸上，看着它：罗杰 P. 丁克莱克（Roger P. Dinkelacker）。

从心理角度分析，这样的名字是在告诉管理部门：我们是一家大的公司，而你的职位却那么微不足道，所以你必须用这个“P”来使自己区别于雇员中也叫罗杰 · 丁克莱克的人。

不一定。

如果你的名字叫什么约翰 · 史密斯或玛丽 · 琼斯，那你可能确实需要在姓名中间加一个字母，使你区别于其他叫约翰 · 史密斯或玛丽 · 琼斯的人。

如果是这么回事，那你真正需要的是一个新名字。混淆不清是成功定位的大敌。人们不可能清晰地记住一个太常见的名字。别人怎么能把约翰 T. 史密斯和约翰 S. 史密斯区分开来呢？

他们不会，会同时忽略这两个名字。“无名”陷阱的又一个受害者。

避开品牌延伸陷阱

如果你有三个女儿，你会把她们叫做玛丽1、玛丽2和玛丽3吗？还是恰恰相反，给她们起名叫玛丽、玛丽安和玛丽琳？

布什
戈尔

这个问题值得多加探讨。如果父子或母女二人同时出名，称“小”的那位通常意味着永无出头之日。（如弗兰克·西纳特拉和小弗兰克·西纳特拉父子。）但另一方面，家族品牌也可以代代相传，并且在传承过程中变得极有影响力。在政界尤其如此。诸位都亲眼看到了像罗斯福、肯尼迪、布什和戈尔等家族品牌的威力。

你如果在你儿子的名字上添上个“小”字，这对他毫无帮助。他理应有一个独立的形象。

在演艺界里，你必须在公众心智里留下一个轮廓清晰的形象，甚至可能连你赫赫有名的姓氏都不该用。

如今，影星莉莎·米奈丽（Liza Minnelli）比他母亲茱迪·迦兰（Judy Garland）过去的名声还要大。她如果叫莉莎·迦兰，一入行肯定会遇上麻烦的。

歌星小弗兰克·西纳特拉（Frank Sinatra Jr.）就深受品牌延伸名字之苦。他刚入行时确实受到过两次打击。

听到小弗兰克·西纳特拉这个名字，听众会想：“他不会像他父亲唱得那样好。”

由于人们的这种想法先入为主，他当然唱得不行了。

出于同样的道理，小威尔·罗杰斯（Will Rogers Jr.）这个名字对他自己也没有多大帮助。

找匹马骑

有些有上进心而且聪颖的人发现自己前途迷茫，这时人们通常会怎么办？

他们会更加努力。他们想用工作更长的时间、投入更多的精力来扭转局面。成功的秘诀是，拼命工作，把工作做得比别人好，名望和财富自然都会聚集到你身边，对吧？

不对。更加努力很少成为通往成功之路，更加聪明才是更好的办法。

鞋匠的孩子没鞋穿。管理人员往往不懂得管理自己的职业。

他们推销自己的战略往往建立在一个天真的假设上．即能力和努力才是最重要的。于是，他们更加埋头苦干，等待成功的到来。

可是，那一天很少会到来。

事实是，通往名望和财富的道路很少能从自己身上找到。唯一有把握获得成功的方法是，为你自己找匹马骑。你内心可能很难接受这一点，但人生的成功更多是要靠别人为你做些什么，而不是你能为自己做些什么。

别问自己能为公司做什么，要问公司能为你做什么。所以，你如果想最大限度地利用你的职业为你提供的机会，就得睁大双眼，找一匹马替你出力。

1. **第一匹马是你所在的公司**。你公司的发展方向是什么？或者不客气地说，它究竟有没有发展方向？

太多优秀的人对自己充满信心，却发现自己被困在注定要失败的境地。但失败至少会给你第二次机会。更糟糕的是，公司的成长机会低于一般水平。

如果你跟随失败者，那你多么出色都无济于事。泰坦尼克号上最好的船员到头来也得和最差的水手上同一条救生艇，而且他还得足够幸运没有落水才行。

光凭你自己无法成功。如果你的公司没有出路，不如去找一家新的。即使不是总能找到像IBM或施乐这样的大公司，也必须要找一家超过一般水平的公司。

选择成长性行业，如计算机、电子、光学、通信这样的朝阳行业。

而且别忘了，所有服务行业都比硬产品发展得快得多。因此，要关注那些金融、租赁、保险、医药、财务和咨询服务公司。

要记住，你在夕阳产业硬产品方面的经验会使你对完全不同的产品领域视而不见，尤其是各类服务行业。

微软
英特尔
思科
雅虎
甲骨文
戴尔
星巴克
沃尔玛
家得宝

你如果早早进入这些公司，现在不发财才怪呢。

等你换工作加入一家从事朝阳行业的公司后，别只关心它现在能付你多少工资。

还要问它今后可能会付给你多少。

2. **第二匹马是你的上司**。关于你的老板，问之前关于公司相同的问题。

他或她有没有前程？如果没有，谁会有？要永远争取为你能找到的最精明、最出色、最有能耐的人工作。

翻翻成功人士的传记，你会惊奇地发现，有多少人是靠紧跟别人后面爬上成功阶梯的。从一份卑微的工作到最后成为大公司的总裁或首席执行官。

然而，有些人确实愿意为无能的人工作。依我之见，他们是想要鹤立鸡群的感觉。但是他们没有想到，最高管理层如果对某个业务部门不满意的话，往往会把整个部门撤销。

找工作的人可以分成两种。

一种人对自己的特长看得太重。他们往往会说："你们的确需要我，因为你们在我的特长方面很弱。"

另一种人说的话则恰好相反："你们在我的特长方面很强。你们做得太棒了，而我正想和最好的人共事。"

哪种更有可能得到这份工作？没错，是后一种人。

另一方面，尽管这听上去有点奇怪，最高管理层见得更多的却是前一种人，即那些想成为专家的人，最好再配上相应的头衔和工资。

拉尔夫·沃尔德·爱默生说过："要胸怀大志。"这在当时就是个好建议，如今意义更大。

如果你的上司能取得成功，你也很有可能取得成功。

3. **第三匹马是朋友**。许多商界人士有大量的私人朋友，却没有一个生意上的朋友。有私人朋友虽说是件大好事，何况他们有时还能帮你买台便宜的电视机或送给你孩子一副吊裤带；但是在找一个更好的工作这件事上，他们通常对你不会有太大的帮助。

人一生中的大多数重大转折之所以发生，是因为有商界朋友的推荐。

你在公司外面的商界朋友越多，你就越有可能最终找到一个称心如意、名利双收的工作。

只交朋友还不够。你还得牵出友谊这匹马，间或操练它一番；否则的话，在你需要它的时候反而会用不上它。

如果有位10年没见的商界老友打电话约你吃午饭，你就知道会发生两件事情：（1）你得为这顿饭买单；（2）你的朋友要找工作。

你在要找工作的时候再用这种办法，往往已为时太晚。利用友谊这匹马的方法是，定期与你所有的商界朋友保持联系。

把他们可能感兴趣的文章从杂志上撕下来寄给他们（包括广告剪报），如果他们升职了，给他们写封贺信。

再有，别以为人们总能看到以这样或那样的方式提到他们的文章。不一定。如果有人寄上一份他们可能没有看到的这类材料，他们总会心存感谢的。

4. **第四匹马是好的想法。**临终前一天晚上，维克多·雨果在日记中写道："每当一个想法到了该出现的时候，什么也阻挡不了它，哪怕是世上所有的军队加在一起也不行。"

人人都知道，好想法比其他任何东西更有助于你步步高升。但是，人们有时对好想法的期望太高。他们不仅想要一个非常好的想法，而且希望别人都认可那是个非常好的想法。

世上根本就没有这样的想法。如果你想等到一个好想法能被人接受，那就太晚了。别人会在此之前就抢占这个想法的。

如同几年前人们对流行与否的说法，任何非常流行的东西其实都在走向过时的路上。

要想骑上"想法"这匹马，你得做好受人奚落和反驳的准备。你必须准备好逆势而行。

第一个提出新想法或新概念，你就要做好冒风险、受种种非议的准备。

而且，你要耐心等待时机成熟。

对于定位概念也是如此。有争论，就能使一个想法存活下去、被人们挂在嘴边。

有关定位的文章刊登在《广告时代》后没多久，利奥·格林兰（Leo Greenland）就撰文谴责作者。但“专家和迷信家”却是他不得不用的两个还算好听的评语。

就连世界上最受推崇的广告公司总裁也用了一个词概括了我们的定位概念。

“胡说八道，”比尔·伯恩巴克在全美广告商联合会在霍姆斯特德举行的一次会议上如是说。

“一项原理是否可行的一个标志，”用心理学家查尔斯·奥斯古德的话来说，“是它所受反对的强烈与持久的程度。”“在任何一个领域里，”奥斯古德博士说，“如果人们认为某个原理显然是胡说八道、不堪一击，他们往往会对它置之不理。反过来，如果该原理很难驳倒，而且人们开始怀疑起自己的某些可能关系到个人名声的根本观念，他们就不得不想方设法挑它的毛病了。”

决不要害怕冲突。

如果没有阿道夫·希特勒，温斯顿·丘吉尔会怎么样？我们都知道这个问题的答案。阿道夫·希特勒被消灭后，英国公众立刻就把温斯顿·丘吉尔赶出了首相府。

你记得利伯雷斯在回忆某次钢琴表演获得的评论时是怎么说的吗？——“我曾一路哭到河岸。”

一个想法或概念如果没有与常理冲突的地方，那就根本不叫想法，而是母爱、苹果馅饼和国旗，对于这些，谁也不会说什么。

5. **第五匹马是信心**。对别人以及别人的想法要有信心。超越自我并且到外面寻找你的财富至关重要，以下这个大半生都处在失败中的人的经历体现了这一点。

此人名叫雷·克洛克（Ray Kroc），在他遇到这两兄弟之前已近暮年，并且一事无成，而这两兄弟却改变了他的生活。

因为这两兄弟有一个好主意，却没有信心。于是，他俩没要几个钱就把自己的想法连同名字都卖给了雷·克洛克。

如今，雷·克洛克可能是美国最富有的人，身价高达数亿美元。

那两兄弟是谁？他们是麦当劳兄弟，每当你吃一份以他们的名字命名的汉堡包时，记住是一个外行人的眼光、勇气和恒心把麦当劳办成了一个成功的连锁企业。

而不是那两位叫麦当劳的人。

6. **第六匹马是你自己**。这是最后一匹马，它低劣、乖戾而且前途未卜。但是，人们经常想去骑它，尽管很少成功。

那匹马就是你自己。光靠自己单枪匹马也许能在生意或生活上获得成功，但这并非易事。

商业和生活一样，是一项社会活动，既要有合作，也要有竞争。

以销售为例。你不能自己完成

1989年，我们把这一章扩展成一本书，书名叫《人生定位》⊖，但市场表现很差。教训是我们在自我激励方面缺乏信任。不如让给托尼·罗宾斯（Tony Robbins）和汤姆·彼得斯（Tom Peters）。

⊖ 本书中文版已由机械工业出版社出版。

销售，必须有人来买才行。

所以要记住，获胜次数最多的未必是体重最轻、最聪明或体质最强壮的骑师。最好的骑师赢不了比赛。

赢得比赛的通常是骑着最好的马的那位。

所以，要给你自己找匹马骑，并且让它拼命地跑。

POSITIONING

第21章

成功六步曲

如何开始一个定位项目？

并不容易。通常人们在通盘思考问题前就想找到解决之道。而在匆忙得出结论前，最好先思考当前的处境。

以下的六个问题可以帮助人们理清思考的过程，找到头绪。

不要被这些问题的简单外表迷惑了，其实它们都很难回答。它们通常会引出一些关键性问题，是对勇气和信念的考验。

第一步：你拥有怎样的定位

定位需要逆向思维。定位需要从潜在顾客开始，而不是从自己开始。

不要问自己是什么，要问自己在潜在顾客心智中是什么。

在我们这个过度传播的社会，改变心智是项异常艰难的工作。相比之下，运用已有认知就简单多了。

在确定潜在顾客心智的状态时，要撇开企业自尊，这很重要。要从市场中得到“我们的定位是什么？”的答案，而不是从营销经理那里。

如果需要花些钱进行市场调研，那就花钱做吧。现在就知道自己的处境是件好事，否则等到以后发现自己处于不可挽回的地步就惨了。

要思路开阔，考虑全局，不拘小节。

比利时航空的问题不是航空公司本身，而是比利时这个国家。

七喜的问题不是潜在顾客对柠檬类饮料的看法，而是在潜在顾客心智中占据绝对优势的可乐。“给我来杯饮料。”对大部分人来说意味着是可口可乐或百事可乐。

考虑全局，七喜才建立了成功的非可乐定位。

今天的很多产品就像没有进行非可乐定位前的七喜。它们要么在潜在顾客心智中定位模糊，要么根本没有定位。

唯一的可行之道是将自己的产品、服务和概念同潜在顾客心智中已有的认知相联系。

第二步：你想拥有怎样的定位

第二步该是拿出水晶球，找到从长期来看可以拥有的定位。“拥有”是关键词。太多的广告宣传的是自己不可能抢占的定位，因为有人已经占据了那个定位。

福特没有成功定位埃德塞尔，原因之一是购车者心智中根本没有空间再容纳一个有着厚厚镀层的中型轿车。

而理查森·梅里尔公司在试图定位进入感冒药市场的新品Nyquil来与康泰克和Dristan抗衡时，明智地避开了正面对抗。它让那两个品牌相互争夺日用感冒药市场，让Nyquil占据“夜间感冒药”的位置。

Nyquil成了他们近些年推出的最成功的新品。

有时，人们想要的太多，想占据的定位太宽泛。这样的定位很难在心智中建立。即使能建立，也无法防御来自像Nyquil这样定位更窄的产品的攻击。

当然，这是“满足所有人需求”的陷阱，这方面的例子之一就是Rheingold啤酒的著名广告。这家啤酒公司想抢占纽约市的工人阶层市场（这个群体中重度啤酒饮用者数量庞大，是个不错的目标群体）。

于是，该公司制作了一些绝妙的广告，宣传意大利人喝Rheingold啤酒、黑人喝Rheingold啤酒、爱尔兰人喝Rheingold啤酒、犹太人喝Rheingold啤酒，等等。

他们试图吸引所有人，结果什么人也没有吸引到。原因很简单。人们都有偏见，一个民族喝Rheingold啤酒，另一个民族不见得跟着喝。

事实上，看了这些广告，纽约市所有的民族都不会喝Rheingold啤酒。

就在Rheingold啤酒市场萎缩的时候，F&M Schaefer啤酒公司却成功地将Schaefer定位为纽约重度饮用者的啤酒，它的著名广告语是“唯一一种喝了还想喝的啤酒”。该公司认识到“重度饮用者”的定位是可行的，便立即采取行动抢占了下来。

在个人的职业生涯中，也很容易犯同样的错误。如果想满足所有人的所有要求，将会一事无成。最好聚焦自己的专业，让自己成为独一无二的专家，而不是什么都干的通才。

第三步：谁是你必须超越的

不要对市场领导者进行正面攻击。绕过障碍要比穿过它好得多。最好是选择一个别人没有完全占据的定位。

要从自己的角度考虑自己的处境，更要从竞争对手的角度考虑自己的处境。

仅从自己的角度看，橄榄球是项很容易的体育项目。要想得到六分，只需抱着球冲过球门线就行了。

橄榄球的困难之处不是得分（或者说，确定定位）。其困难之处是在你和球门线之间还站着11个人（实施定位）。

与对手搏斗也是大多数营销情况中的一个主要问题。

第四步：你有足够的钱吗

成功定位的一大障碍是想实现不可能的目标。抢占人们的心智需要金钱支持。建立定位同样需要金钱支持，保住已建立的定位同样需要金钱支持。

如今，噪声非常之大。市场上有太多的跟风产品和跟风公司为抢占心智而相互竞争。想得到人们的关注更难了。

在仅仅一年时间里，一个普通人就要接触大约20万条广告信息。你如果知道一则在超级杯赛上播出的、每30秒收费243 000美元的广告只占其中的20万分之一，就会发现广告主几乎没有胜算。

因此，像宝洁这样的公司就成了非常可怕的竞争对手。它在押注一种新产品时，会在桌子上轻放2 000万美元，然后环顾一下对手们说："你们下注吧。"

如果一个企业不能投入足够的钱让自己超越噪声，宝洁这样的公司就会抢走企业的概念。应对噪声问题的一种方法是缩小地域范围，一个市场接一个市场地推出新产品或新概念，而不是在全国或是全球全面铺开。

如果资金有限，在一个城市花足钱比在多个城市捉襟见肘要好得多。如果在一个地方成功了，就可以在其他地方推广了——如果第一个地点选择正确的话。

如果成为纽约（全国第一大威士忌消费地区）苏格兰威士忌的第一品牌，那就可以在美国其他地方推广了。

第五步：你能坚持到底吗

可以将我们过度传播的社会看做是充满变化且持续不断的考验，新概念层出不穷，令人应接不暇。

要应对变化，有长远的眼光很重要。要选择基本的定位并坚持下去。

定位需要积累，利用的是广告的长期特性。

需要年复一年地坚持。很多成功的公司很少改变制胜之道。万宝路牛仔骑马走入夕阳的图案大家看了多少年了？佳洁士长时间以来一直坚持防蛀的定位，其定位已经进入第二代孩子的心智中。由于变化，企业必须比以前更具战略性思维。

企业几乎永远不应该改变它的基本定位战略，这几乎毫无例外。能改变的只是它为实施长期战略采取的战术和短期的行动。

这里面的窍门是，确定长期的基本战略并加以改进；寻找新的方法使它受人瞩目；设法去掉那些令人乏味的地方。换句话说，就是找出新方法让罗纳德·麦当劳（Ronald McDonald，即麦当劳汉堡包店门前和广告中做商标用的那个人物形象）最终表演吃汉堡包。

在心智中占据定位如同拥有价值连城的不动产。一旦放弃，就会发现不可能再拿回来。

品牌延伸陷阱说明了这一点。品牌延伸实际上会削弱品牌的基本定位。一旦定位丢失，品牌就是无锚之船，漂浮不定。

李维斯进行品牌延伸，进入休闲服饰领域，后来，它发现它在牛仔服领域的基本定位受到“设计师标签”的牛仔的冲击。

第六步：你符合自己的定位吗

有创意的人通常不接受定位思想，因为他们觉得这限制了他们的创造性。

确实如此。定位理论确实限制了创造性。

最大的传播悲剧之一是看着一个组织谨慎地、循序渐进地、使用表格和图表完成自己的计划，最后却将其战略交给“创意大师”执行。在他们运用自己的技巧后，战略却在一团技术迷雾中消失，再也无法辨认。

这些组织如果采取活页纸上的战略远比运用上万元的创意广告方案好得多。

“安飞士在租车业里仅排第二位，但为什么还要找我们？因为我们工作更努力。”这听上去不像广告，而是营销战略。实际上，两者都是。

你的广告跟定位相符吗？例如，你的衣着会告诉人们你是个银行家、律师抑或是艺术家吗？

你会穿那些损害你的定位而有创意的衣服吗？

创意本身一文不值，只有为定位目标服务的创意才有意义。

局外人的角色

有时有这样的问题：我们是自己定位呢，还是找人帮我们定位呢？

通常，人们会找广告公司。广告公司？谁需要麦迪逊大街上的广告人的帮助？

人人都需要。但只有富有的人才雇得起他们。其他人必须学会自己进行定位，必须学会运用只有局外人才有的见解。

那么局外人会提供什么呢？一种叫做无知的东西，即客观。

局外人不了解公司内部事务，因此更清楚外部——潜在顾客心智中——发生的一切。

公司内部的人习惯内向思维，而局外人很自然地习惯外向思维（难怪客户有时候跟广告公司合不来）。

客观性正是广告、市场传播或是广告公司提供的重要元素。

局外人不能提供什么

一个字，奇迹。有些企业管理人员觉得广告公司的作用就是挥一挥魔棒，让潜在顾客马上出来买他们的产品。

当然，魔棒被称为“创意”，它正是新广告主追寻的东西。普遍的观点是，广告公司“创作”广告。最好的广告公司富有“创意”，且可以在广告方案中自由运用。

在广告界有这样一个故事。一家广告公司非常有创意，能把稻草纺成金子。大家可能听说过这家广告公司，因为它的名字富有创意——Rumplestiltskin公司[1]。传说流传至今，因此，如今人们觉得广告公司很有创意，能把稻草纺成金子。传说只是传说，广告公司无法点草成金。如果它们可以，那就不会做广告了，就去纺稻草了。

如今，创意已死，麦迪逊大街信奉的是定位。

我们说错了。创意并没有消失，它还在麦迪逊大街上下滋生蔓延。尽管人人都在用着“定位”这个词，我们仍然不太敢肯定，许多广告人是否了解这个词的真正含义。

[1] 意为点草成金。——译者注

POSITIONING

第22章

定位的游戏规则

有些人玩不好定位游戏，因为他们受文字的困扰。他们错误地认定文字是有含义的。他们的生活让韦伯斯特先生[⊖]给统治了。

必须理解文字

普通语义学家已经说了好几十年了：文字本无含义。含义不是在词语里，而是在使用这些词语的人身上。

糖罐在放糖之前只是个空罐；同理，词语在人们使用它并赋予它含义之前是没有含义的。

你如果往一只漏斗里倒糖，糖是存不住的。给一个靠不住的词添加含义，其结果也是如此。最好还是扔掉那个靠不住的词，换一个新的。

“大众”一词包含不了中档豪华轿车这个概念，所以，你得扔掉这个糖罐。换个新罐：“奥迪”，这个词更适合容纳上述概念。你不能坚持认为，车是在一家大众汽车公司的工厂里生产的，它就得叫“大众”。偏执是通往定位成功之路的障碍。

如今，要想获得定位成功，思想要灵活。你必须能选择和使用那些不受历史书和词典影响的词。

我们不是说那些传统的和现成的含义不重要。恰恰相反，你必须选择那些能引发出你想传达之意义的文字。

你怎样给波兰这样的国家定位呢？

有关波兰人的笑话太多了，这些笑话弄脏了名叫波兰的这只糖

⊖ Noah Webster，美国著名词典编纂家。——译者注

罐。因此，你首先得给这个坐落在维斯瓦河与奥得河畔、拥有华沙和什切青等城市的美丽国家改个名字。

但是，这样做合乎常理吗？这个国家毕竟就叫波兰。

是吗？别忘了，词语是没有含义的。它们是些空空的容器，得由你往里面加上含义才行。你如果想给一项产品、一个人或一个国家重新定位，往往得首先换个容器。

从某种意义上说，每项产品或服务都是“带包装的商品”。如果它没装在盒子里出售，它的名字也就变成了外面的盒子。

必须理解人

词语是触发器，它们能触发埋藏在人们心智中的含义。

当然，人们假如能明白这一点，给一项产品重新命名或给汽车选择一个“野马”之类的情感性字眼就毫无优势可言了。

可是，事实并非如此。大多数人的心智都不太正常。他们的精神不完全失常，也不完全正常，而是介乎二者之间。

心智正常的人和不正常的人之间有什么区别呢？心智不正常的人都做些什么？创立了普通语义学理论的阿尔弗雷德·科日布斯基[⊖]解释道，精神不正常的人是那些企图使现实世界适应自己心智中的想法的人。

认为自己是拿破仑的精神病人想让外部世界去适应他这种观念。

精神正常的人则不断分析现实世界，然后使自己的想法去适应

⊖ Alfred H. Korzybsky，波兰裔美国哲学家，普通语义学创始人。——译者注

现状。

这对大多数人来说实在太麻烦了。此外，有多少人愿意不断改变自己的观点去适应现状呢？

让现实去适应自己的观点则要便当得多。

心智不正常的人拿出了观点之后再去寻找事实来“证实”它。或者甚至更常见的是，他们接受与自己观点最相近的“专家”的意见之后，再也不去关心事实究竟是如何了（这就是口碑的实质）。

至此，你看到人们在心理上认为正确的名称的威力会有多大。心智能使现实世界去适应名称。同一辆车叫“野马”会让人觉得比它叫“乌龟”模样更帅、脾性更野、跑得更快。

语言是心智的通货。人们用词语思考，选择了正确的词语，就能影响思维过程本身（要证明人脑是“用词语思考”而不是通过抽象思维来思考，不妨了解一下人们是如何学习语言的。要想说一口流利的外语，比如法语，你必须学会用法语来思考）。

但在这方面也有限制因素。如果一个词太不符合实际，人会干脆拒绝使用它。尽管牙膏皮上写着一个“大”字，但除了生产商之外，人人都叫它一“小管牙膏”。尽管牙膏皮上写着“经济型”，人人却都说它“大”。

必须对变化持谨慎态度

世界虽变化万千，但万变不离其宗。可是，人们现在都有一种万物恒变的错觉。世界上的变化好像一天比一天快。

几年前，一项成功的产品或许能畅销50年甚至更久，之后才逐渐退出市场。如今，产品的市场周期要短得多，有时可以不以年计，而是以月计。

新产品、新服务项目、新市场甚至新型媒体不断诞生、长大成熟，接着就被人遗忘，一个新的周期随即开始。

过去，一个成年男子每星期理一次发；如今却是每一个月甚至两个月才理一次。

过去，与大众沟通的途径是大众化杂志；如今却是电视网络；将来则可能是有线电视网。如今唯一恒久不变的似乎就是变化本身。生活如万花筒般瞬息万变，新花样层出不穷、转瞬即逝。

变化已经成为许多公司的生存方式。可是，难道变化就是唯一能跟上变化的途径吗？事实好像恰恰相反。

眼前一片狼藉，全是各公司为了跟上变化而仓促上马的项目的废墟：胜家（Singer）公司试图在家庭用品方面大展宏图、RCA公司试图在计算机领域大发其财、通用食品公司试图使其快餐店遍地开花，且不提还有数以百计的公司纷纷抛弃自家的本名，去追逐昙花一现的缩略名称。

在此同时，由那些坚持发挥自身最佳特点、不乱阵脚的公司发起的项目都获得了巨大的成功。美泰克（Maytag）公司的耐用品风行天下、沃尔特·迪斯尼公司的魔幻乐园游人如织、雅芳公司的化妆品顾客趋之若鹜。

再以人造黄油为例。30年前，头一批获得成功的人造黄油品牌针对黄油给自己定位。一则典型的广告说道“口味和价格高昂的黄油一样。”如今管用的是什么招数？竟然还是那些战略。奇峰人造黄油（Chiffon）的广告说："欺骗'大自然母亲'可不好。"

如今，要想玩好定位游戏需要具备哪些条件呢？

要有眼光

变化是时间大海上的波浪。从短期来看，这些波浪会造成动荡和混乱。从长期来看，那些潜流则要重要得多。为了应付变化，你必须有长远的眼光确定你的基础业务并且坚持到底。

改变一家大型公司的发展方向如同让一艘航空母舰转向，它要走出一海里远，方向才能有所改变。如果转错了方向，纠正所需的时间会更长。

要想定位游戏玩得成功，你必须决定你的公司今后要干什么，不是下个月或下一年而是今后五年甚至十年的计划。换句话说，一家公司不能转动方向盘去迎接每一次新浪潮，而是必须朝着正确的方向前进。

你必须要有眼光。把自己定位在一种应用范围过于狭窄的技术、一项行将过时的产品或一个有缺陷的名字上是不明智的。

最重要的是，你必须能够看到有效因素和无效因素之间的区别。

这听上去很简单，其实不然。在大好形势下，每一种战略似乎都管用。等到形势急转直下，好像什么都无济于事了。

你必须学会把自己的努力同普通的经济潮流区分开来。许多营销专家的成功是得益于命运的慷慨垂顾。要小心，今天经济潮流造就的营销天才，明天就有可能去领救济金。

要有耐心。明天的太阳将照在那些今天做出正确决策的人身上。

一家公司如果定位方向准确，就能顺应变化潮流而行，及时地利用那些天赐良机。不过，机遇一旦降临，公司必须迅速行动。

要有勇气

回顾领导地位的创建史，如从巧克力业中的好时公司到租车业中的赫兹公司，你会发现重要的不是营销技巧，甚至也不是产品创新，而是抢占先机。用过去的军事术语说，就是市场领导者“尽可能地以最多的人马最先进入阵地”。领导者通常是在形势未定的时候就投入了营销资金。

例如，好时公司因为自己在巧克力业中的定位十分强大，便认为无需再做任何广告了；而像玛氏这样的竞争对手就对此不敢奢望。

等到好时公司最终决定打广告时，为时已晚了。好时已不是销量最大的巧克力品牌，甚至连前五位都排不上。

可以看出，建立领导者定位靠的不仅是运气和时机，还要靠趁别人驻足观望时奋力一搏的决心。

要客观

要想在定位时代获得成功，你必须虚怀若谷，在决策过程中努力排除一切自我意识，因为它只能掩盖问题的实质。

实施定位的重点之一就是，要能够客观地评价产品，并且了解顾客和潜在客户是如何评价这些产品的。

你还要记住，没有篮板是打不成篮球的。你需要有人把想法反弹回来。一旦你觉得自己想到的那个简单的想法能够解决你的问题时，你已经失去了某样东西。

你失去的是你的客观性。你需要别人从新的角度来评价你的所作所为，反之亦然。

定位就像打乒乓球一样，最好由两个人来玩。本书由两个人合写绝非偶然。好想法只有在相互切磋的气氛中才能得到改进和完善。

要简单化

如今，只有显而易见的想法才能行得通。传播的信息量太大反而会妨碍成功。

可是，显而易见的东西并非总是显而易见。"老板"凯特林在通用汽车公司设在代顿的研究中心大楼的墙上挂了一块牌子，上面写道："问题一旦得到解决就变得简单了。"

"来自加利福尼亚的提子干——大自然生产的糖果。"

"汁多肉厚的盖氏汉堡——不装罐的罐装狗粮。"

"波波洋——泡泡糖里的第一美味。"

这些就是如今行得通的简单想法，即采用简单的词语、直截了当地表达简单的概念。

解决问题的方法往往简单得让成千上万的人对其视而不见，但是，如果一个想法显得非常巧妙或复杂，我们就该小心了。它也许行不通，因为它不够简单。

科学的历史就是世界上各种各样的凯特林们为复杂的问题找到简单答案的历史。

一家广告公司的老板曾坚持让他的业务经理把营销战略贴到每份广告设计的背面。

这样一来，如果客户问那则广告能达到什么目的，负责该广告的业务员就可以把设计图翻过来，给客户念一下附在背后的战略。

可是，广告应该简单到它自身就是战略的程度。

这家广告公司犯了一个错误：它把设计图用反了。

要精明

刚开始玩定位游戏的人常常说“这太容易了。只要找到一个能据为己有的定位就行了。”

说它简单是对的，但说它容易则不对。

难就难在要找到一个既无人占领又有效的定位。

例如在政界，建立一个极右翼（保守党定位）或者极左翼（社会党定位）定位很容易。你肯定能给自己确立其中的一个。

但有得也会有失。

你必须做的是，在左右两翼之间的中心附近找到一个空位。你必须在自由派当中显得有点保守，在保守派当中显得有点开放。

这就需要有高超的克制能力又要精明。生意场上和生活中的大赢家都是那些在两极中间而不是在边上发现定位空位的人。

有时，你可能会在定位上取得成功，在销售上却归于失败。这种情况也许能称做是“劳斯莱斯思维方式”。

“我们是本行业里的‘劳斯莱斯’”，这话在当下的商界里经常能听到。

你知道劳斯莱斯轿车每年能卖掉多少辆吗？

屈指可数，每年只能卖掉几千辆。相比之下，凯迪拉克的销量为将近50万辆（在当今英国竟能看到阿拉伯文的“劳斯莱斯”广告，真令人吃惊。可是，它每辆要卖到6万美元甚至更多，大多都在6万美元以上，所以市场十分狭小）。

凯迪拉克和劳斯莱斯都是豪华型轿车，但两者之间却有着天壤之别。对于普通购车人来说，劳斯莱斯车遥不可及。

而凯迪拉克轿车则和米狮龙啤酒以及其他高档产品一样，并非高不可攀。成功定位的秘诀是，在以下两方面保持平衡：（1）独一无二的定位；加上（2）较大的市场需求。

要有耐心

有钱在全国范围推销新产品的公司寥寥无几。

但是，它们寻找能够使其品牌获得成功的地方，然后再扩展到其他市场里去。

地域式推销是一种办法：使产品在一个市场里站住脚后，再推到下一个市场里去，由东往西，或反过来。

分人群推销是另一种办法：远在“万宝路”香烟成为全国头号品牌之前，菲利普·莫里斯公司先让其成为大学校园里的第一品牌。

分年龄推销是第三种办法：你在某个年龄段的人当中树立一个品牌后，再向其他年龄段推进。“百事一代”就是一例。百事可乐公司先使其产品在年轻人当中站住脚，在他们长大之后继续从他们身上获利。

分销渠道也是一种推销技巧：威娜（Wella）洗发系列最初就是通过美容店销售的。产品一旦站住脚，再通过日用品商店和超级市场销售。

要有全球视野

不要忽略全球化思维的重要性。公司如果只把眼光放在本国客户身上，就会忽视法国、德国和日本客户。

营销正在变成一场世界性球赛。在一国拥有某个定位的公司现在发现，它能利用这一定位打入另一个国家。IBM公司拥有大约60%的德国计算机市场。你感到十分吃惊吧？这其实没什么。IBM 50%以上的利润来自美国境外。

公司在开始全球性经营时，往往发现自己在名称问题上遇到了麻烦。

这方面典型的例子是美国橡胶公司，这家跨国企业同时还销售许多不是用橡胶制造的产品。把公司名字改成“优耐陆”，便树立了一个可以在世界各地使用的新的公司形象。

要他人导向

营销人员分两种，一种是自我导向，一种是他人导向。

自我导向型营销人理解不了这一新概念的本质：即不要在销售经理的办公室里给产品定位，而要在潜在客户的心智中给产品定位。

自我导向型营销人成群结队地参加各种鼓舞士气的会议；他们深信有了合适的动力，没有办不到的事情。

自我导向型营销人是充满激情的演说家。“我们有意志，我们有决心，我们工作努力，我们有超强的销售力，我们有忠心耿耿的分销商，我们有这个有那个。有了这些，我们必将获得成功。”

也许吧。但是，他人导向型营销人通常对事物看得更清楚。他们把注意力放在竞争对手身上。他人导向型营销人像将军巡视战场那样观察市场。他们找出竞争对手的弱点加以利用，并且学会避开对手的长处。

尤其要指出的是，他人导向型营销人很快就摆脱“精明的人员是

1988年，我俩把自我导向与他人导向这个概念扩展成了一本书，名叫《营销革命》[⊖]。你不是在公司内部而是在公司外部找到自己的定位，即一种在潜在客户心智中有效的战术；然后再把这个战术导入公司内部，制定一套战略来推动、利用这一战术。

⊖ 此书中文版已由机械工业出版社出版。——译者注

成功的关键”的错觉。

“我们有最好的员工”很可能是所有错觉当中最大的一个。每位将军都了然于胸的是，不同军队里单个士兵的战斗力不会有多大的差别。这一方或那一方军队可能受过更好的训练、拥有更好的装备，但人数一多，其固有的能力就持平了。

公司也是如此。你如果相信在一对一的情况下你的公司员工要比对手强，那你也相信圣诞老人和牙仙子了㊀。

使能力持平的因素当然是人的数量。尽管从数量有限的应聘人员当中有可能找出一位精明的人，但要想找出10位、100位甚至1 000位来则完全是另一码事了。

只要做一点点计算就会发现，任何一家雇用了几百名甚至更多人手的公司在人员平均能力方面与它的竞争对手不会有任何差别（当然，除非它付的工资更高。但那要牺牲数量来换取质量，而这样未必就是一种优势）。

如果通用汽车公司在同福特公司对阵，你知道，其结局如何并不取决于双方雇员的个人能力。

其结局将取决于哪一方的将军更出色，从而有更好的战略。优势当然是在通用汽车一方。

什么是你不需要的

你用不着有营销天才的名声。事实上，这种名声可能是一个致

㊀ 美国人哄孩子说，如果晚上把脱落的乳牙放在枕头底下，有仙女会把牙齿拿走，留下一枚硬币。——译者注

命的缺陷。

市场领先的公司通常将其成功归功于营销的技巧，这就犯了一个致命的错误。它以为可以将其营销技巧复制到其他的产品或其他的营销环境中去。

比如，施乐公司就在计算机行业留下了惨痛的一笔。

作为营销知识的发源地，IBM的情况也强不了多少。迄今为止，IBM公司的普通纸复印机没有抢走施乐公司多少业务。

定位游戏的规则对所有的产品都适用。例如，在包装商品里，布利斯特-麦尔斯先是试图用Fact（花了500万美元广告费之后放弃了）来挑战佳洁士牙膏；接下来试图用Resolve与Alka-Seltzer一争高下（花了1 100万美元之后也放弃了）；后来试图用Dissolve把拜耳拉下马，这又是一场花钱买烦恼的买卖；再后来又用Datril向泰诺发起攻击，这回的烦恼更大。

有些公司喜欢与地位稳固的对手展开正面撕杀的送死劲头实在令人难以理解。它们明知对方的实力，可偏要不顾一切地冲上去。在营销战争中，这种“实力不足的进攻”天天都会发生。

其结局也不出所料地相同。

大多数公司都处于第二、第三、第四甚至更低的位置上。然后又如何呢？

“不要与地位稳固的领导者正面交锋”成了我们的口号。1985年，我俩把这个概念扩展成一本书，名叫《商战》（*Marketing Warfare*）⊖该书至今销路仍然很好。

⊖ 此书中文版已由机械工业出版社出版。——译者注

希望永远活在人们心中。这些仿效别人的公司十有八九会向领导者发起进攻，就像RCA进攻IBM那样。结局：一场灾难。

再说一遍，定位游戏的规则是：要想赢得心智争夺战，你不能同定位强大、稳固的公司正面交锋。你可以从侧面、底下或头顶上迂回过去，但决不要正面对抗。

领先的公司占据了高地，即潜在客户心智中的最佳定位、产品阶梯上的最高一层。你要想往上爬，就必须遵守定位游戏的规则。

在我们这个传播过度的社会里，当下游戏的名字就叫定位。

而且，只有玩得更好的人才能存活下去。

领先法则显然是营销法则中最重要的一条。可是，你如果不是领导者该怎么办？1993年，我俩在《22条商规》（*The 22 Immutable Laws of Marketing*）一书中回答了这个问题（还有许多其他问题）。要点：你如果不是领导者，那就建立一个你能在其中成为领导者的新品类。

在过去的几年里，我俩还写了无数的文章，讨论这本已经20岁的书中各个不同的方面。即使没有任何新的东西，我们至少在自己的观点上向来是前后一致的。问题只是我们不断地遇到不赞同我们的人。哈佛大学的迈克尔·波特是赞同我们的人当中的一个，他把“定位”用在了他的竞争优势理论里。

附录A

定位思想应用

定位思想

正在以下组织或品牌中得到运用

- **长城汽车：品类聚焦打造全球盈利能力最强车企**

以皮卡起家的长城汽车决定投入巨资进入现有市场更大的轿车市场，并于2007年推出首款轿车产品，市场反响冷淡，企业销售收入、利润双双下滑。2008年，在定位理论的帮助下，通过研究各个品类的未来趋势与机会，长城确定了聚焦SUV的战略，新战略驱动长城重获竞争力，哈弗战胜日韩品牌，重新夺回中国市场SUV冠军宝座。2011年至今，长城更是逆市增长，SUV产品供不应求，销售增速及利润高居自主车企之首，利润率超过保时捷位居全球第一，连续三年成为全球盈利能力最强的车企。2009年导入聚焦战略不到5年里，长城汽车股票市值增长超过80倍。

- **老板：定位“大吸力”，摆脱长期拉锯战，油烟机市场一枝独秀**

长期以来厨房家电中的两大品牌—老板与方太—之间的竞争呈现胶着状态，双方仅有零点几个百分点的差距。2012年开始，老板进一步收缩业务焦点，聚焦“吸油烟机”，强化“大吸力”。根据中怡康零售监测数据显示，2013年老板电器在吸油烟机市场的零售量和零售额份额同时卫冕。同时，由于企业聚焦的“光环效应”带动，老板灶具的销售额与销售量也双双夺冠，首次全面超越华帝灶具。2014年第一季度，老板吸油烟机零售量市场份额达到15.67%，领先第二名36.02%；零售额市场份额达到23.30%，领先第二名17.31%。

• 新杰克缝纫机：聚焦“服务”与中小企业，缔造全球工业缝纫机领导品牌

在经历连续三年下滑后，昔日工业缝纫机出口巨头杰克公司启动新的聚焦战略，进一步明确了“聚焦中档机型、聚焦中小服装企业客户、聚焦服务”的战略方向。在推动实施新战略后，新杰克公司2013年销售大幅上涨。当年工业缝纫机行业整体较上一年上涨10%～15%，而杰克公司上涨110%。新战略推动杰克品牌重回全球工业缝纫机领导品牌的位置，杰克公司成为全球最大的工业缝纫机企业。

• 真功夫：新定位缔造中式快餐领导者

以蒸饭起家的中式快餐品牌真功夫在进入北京、上海等地之后逐渐陷入发展瓶颈，问题店增加，增长乏力。在定位理论的帮助下，通过研究快餐品类分化趋势，真功夫厘清了自身最佳战略机会，聚焦于米饭快餐，成立“米饭大学”，打造“排骨饭”为代表品项，并以“快速”为定位指导内部运营以及店面选址。新战略使真功夫重获竞争力，拉开与竞争对手的差距，进一步巩固了中式快餐领导者的地位。

……

红云红河集团、鲁花花生油、芙蓉王香烟、长寿花玉米油、今麦郎方便面、白象方便面、爱玛电动车、王老吉凉茶、桃李面包、惠泉啤酒、燕京啤酒、美的电器、方太厨电、创维电器、九阳豆浆机、乌江涪陵榨菜……

•“棒！约翰”：以小击大，战胜必胜客

《华尔街日报》说“谁说小人物不能打败大人物”时，就是指“棒！约翰”以小击大，痛击必胜客的故事。里斯和特劳特帮助它把自己定位成一个聚焦原料的公司—更好的原料、更好的比萨，此举使“棒！约翰”在美国已成为公认最成功的比萨店之一。

• IBM：成功转型，走出困境

IBM 公司1993 年巨亏160 亿美元，里斯和特劳特先生将IBM品牌重新定位为“集成计算机服务商”，这一战略使得IBM成功转型，走出困境，2001 年的净利润高达77 亿美元。

• 莲花公司：绝处逢生

莲花公司面临绝境，里斯和特劳特将它重新定位为“群组软件”，用来解决联网电脑上的同步运算。此举使莲花公司重获生机，并凭此赢得IBM 的青睐，以高达35 亿美元的价格售出。

• 西南航空：超越三强

针对美国航空的多级舱位和多重定价的竞争，里斯和特劳特将它重新定位为“单一舱级”的航空品牌，此举帮助西南航空从一大堆跟随者中脱颖而出，1997 年起连续五年被《财富》杂志评为“美国最值得尊敬的公司”。

……

惠普、宝洁、通用电气、苹果、汉堡王、美林、默克、雀巢、施乐、百事、宜家等《财富》500 强企业，“棒！约翰”、莲花公司、泽西联合银行、Repsol石油、ECO 饮用水、七喜……

附录B

企业家感言

经过这些年的发展，我的体会是：越是在艰苦的时候，越能看到品类聚焦的作用。长城汽车坚持走“通过打造品类优势提升品牌优势”之路，至少在5 年内不会增加产品种类。

——长城汽车股份有限公司董事长　魏建军

在与里斯中国公司的多年合作中，我最大的感受是企业在不断矫正自己的战略定位、聚焦再聚焦，真的是一场持久战。

——长城汽车股份有限公司总裁　王凤英

对于定位观点我早有耳闻，这让我想起阿里巴巴的战略定位。有很长一段时间，阿里巴巴的模式都不被人看好。这是又惊又喜的一件事，有时候，不被人看好是一种福气。正是因为没有被看好，大家没有全部杀进来，否则机会肯定不属于我马云。如果看过《商战》一书，大家就会知道，侧翼战就是要在无争地带进行。一杯咖啡可以卖二三百年，星巴克在全世界有上万家店，关键要有独特的定位。

——阿里巴巴集团主席和首席执行官　马云

我对定位理论并不陌生，本人经营企业多年，一直在有意识与无意识地应用定位、聚焦这些法则。通过这次系统学习，不但我自己得到了一次升华，而且更坚定了以后经营企业要运用品类战略理论，提升心智份额，提高市场份额。

——王老吉大健康产业总经理　徐文流

定位理论我一直关注，我的体会很实战，而且不断在发展和完善，很多观念都体现了根本的规律。

——真功夫创始人　蔡达标

没听课程之前，以为品类课程和定位课程差不多，听了课程以后，发现还是有很大的不同。品类战略的方法和步骤更清晰、更容易应用。听了品类战略的课才知道怎么在企业里落实定位。

——杰克控股集团有限公司总裁　阮积祥

听完课后，困扰我多年没有想通的问题得到了解决，品类战略对我帮助真的非常大！

——西贝餐饮集团董事长　贾国龙

我读过很多国外营销、战略类图书，国内专家的书，我认为只有《品类战略》这本书的内容最值得推荐，因此，我推荐360公司的每位同事都要读。

——奇虎360公司董事长　周鸿祎

通过学习，我认识到：聚焦，打造超级单品的重要性，通过打造超级单品来提升企业的品牌力。品类战略是企业系统工程，能使企业从外而内各个环节相配称。

——今麦郎日清食品有限公司董事长　范现国

学习了品类战略之后，我对心智当中品类划分更清楚了，回去对产品就做了调整，取得了很好的效果，就这一点就值得500万元的咨询费。

——安徽宣酒集团董事长　李健

我很早就读过《定位》，主要的收获在观念上，在读了《品类战略》之后，我感觉这个理论是真正具备系统的操作性的。我相信（品类战略）这个方法是革命性的，它对创维集团的影响将在未来逐步显现出来。

——创维集团副总裁　杨东文

对于定位理论的理解，当时里斯中国公司的张云先生告诉我们一句话，一个企业不要考虑你要做什么，要考虑不要做什么。其实我理解定位，更多的是要放弃，放弃没有能力做到的，把精力集中到能够做到的地方，这样才有可能在有限的平台当中用你更多的资源去集中，做到相对竞争力的最大化。

——家有购物集团有限公司董事长　孔炯

我听过很多营销课，包括全球很多大公司的实战营销、品牌课程。里斯的品类战略是我近十年来听到的最好的营销课程！南孚聚焦战略的成功经验，是花了一亿多元的代价换回来的。所以，关于聚焦，我特别有共鸣。

——南孚电池营销总裁　刘荣海

我们非常欣赏和赞同里斯品类战略的思想，我们向每一个客户推荐里斯先生的《品牌的起源》，了解品类战略。我们也是按照品类战略的思想来选择投资的企业。

——今日资本总裁　徐新

这是一个少即是多、多即是少的时代，懂得舍弃，才有专一，只有占据人们心智中的"小格子"，才终成唯一。把一切不能让你成为第一的东西统统丢掉，秉怀这种魄力，抵抗内心的贪婪，忍痛割爱到达极致，专心做好一件事，才有可能开创一个品类，引领一个品牌，终获成功。

——猫人国际董事长　游林

经过30年的市场经济发展，现在我们回过头来再来看《品类战略》。一方面，它是对过去的提炼与总结；另一方面，它让我们更多地了解到我们的中国制造怎样才能变成中国创造。

——皇明集团董事长　黄鸣

接触了定位理论，对我触动很大，尤其是里斯先生的无私，把这么好的观念无私地奉献给企业。

——滇红集团董事长　王天权

三天的学习，最大的收获是：用聚焦思考定位，做企业就是做品牌大树，而不是品牌大伞或灌木。还有一个重要的启示是：战略由决策层领导制定。

——公牛集团董事长　阮立平

好多年前我就看过有关定位的书，这次与我们各个事业部的总经理一起来学习，让自己对定位的理念更清晰，理解更深刻，对立白集团的战略和各个品牌的定位明朗了很多。

——立白集团总裁　陈凯旋

消费者“心智”之真，企业、品牌“定位”之初，始于“品牌素养”之悟！

——乌江榨菜集团董事长兼总经理　周斌全

品类战略是对定位理论的发展，抓住了根本，更有实用性！很好，收获很大！

——白象食品股份有限公司执行总裁　杨东云

课程前，我已对里斯品类战略进行了学习，并在企业中经营实践。这次学习的收获是：企业应该聚焦一个行业，甚至聚焦某一细分品类去突破。把有限的资源投入到别人的弱项以及自己的强项上去，这样才能解决竞争问题。

——莱克电气股份有限公司董事长　倪祖根

定位是战略的核心，是品牌的本质，是占有心智资源，是企业成长的源泉。

——山东东阿阿胶股份有限公司总经理　秦玉峰

战略定位，简而不单，心智导师，品牌摇篮。我会带着定位的理念回到我们公司进一步消化，希望定位理论能够帮助我们公司发展。

——IBM（中国）公司合伙人　夏志红

定位思想最大的特点就是观点鲜明，直指问题核心，绝不同于学院派的观点。

——北药集团董事长　卫华诚

心智为王，归纳了我们品牌成长14 年的历程，这是极强的共鸣；心智战略，指明了所有企业发展的正确方向，这是我们中国的福音；心智定位，对企业领导者提出了更高的要求，知识性企业的时代来临了。

——漫步者科技股份公司董事长　张文东

我们曾经以为定位就是找一个定位概念，然后上大量广告。但实践证明这种做法风险很大，品类战略帮我们理清了如何将定位理论落地实践的思路。

——喜多多食品有限公司董事长　许庆纯

定位理论告诉我们，品牌要通过定位，抢占消费者心智，成为品类的代表。我们要做的工作就是，讲到保温杯，消费者就想到哈尔斯。我们要做的就是要聚焦，要做领导产品。

——哈尔斯股份公司总经理　张卫东

在定位理论上，我的感受首先就是聚焦。聚焦之后，站在自己聚焦的产品或者品类上，给自己聚焦的品类进行一个理念的诉求，而后围绕自己定位的理念进行视觉或者是全方面销售的打造。

——净雅集团董事长　张永舵

相信定位理论，坚定地聚焦品类，持之以恒，这是中国品牌能够早日成为世界品牌的最佳途径。

——唯美集团董事长　黄建平

推荐阅读

书名	作者	ISBN	价格
978-7-111-55420-2	定位(英文版)	[美]艾・里斯、杰克・特劳特	89.00
978-7-111-55412-7	商战（英文版）	[美]艾・里斯、杰克・特劳特	89.00
978-7-111-55413-4	重新定位（英文版）	[美]杰克・特劳特、史蒂夫・里夫金	69.00
978-7-111-55208-6	什么是战略（英文版）	[美]杰克・特劳特	69.00
978-7-111-55707-4	简单的力量（英文版）	[美]杰克・特劳特、史蒂夫・里夫金	69.00
978-7-111-55708-1	营销革命（英文版）	[美]艾・里斯、杰克・特劳特	69.00
978-7-111-55882-8	人生定位（英文版）	[美]艾・里斯、杰克・特劳特	69.00

定位经典丛书

序号	ISBN	书名	作者	定价
1	978-7-111-32640-3	定位	（美）艾·里斯、杰克·特劳特	42.00
2	978-7-111-32671-7	商战	（美）艾·里斯、杰克·特劳特	42.00
3	978-7-111-32672-4	简单的力量	（美）杰克·特劳特、史蒂夫·里夫金	38.00
4	978-7-111-32734-9	什么是战略	（美）杰克·特劳特	38.00
5	978-7-111-33607-5	显而易见（珍藏版）	（美）杰克·特劳特	38.00
6	978-7-111-33975-5	重新定位（珍藏版）	（美）杰克·特劳特、史蒂夫·里夫金	48.00
7	978-7-111-34814-6	与众不同（珍藏版）	（美）杰克·特劳特、史蒂夫·里夫金	42.00
8	978-7-111-35142-9	特劳特营销十要	（美）杰克·特劳特	38.00
9	978-7-111-35368-3	大品牌大问题	（美）杰克·特劳特	42.00
10	978-7-111-35558-8	人生定位	（美）艾·里斯、杰克·特劳特	42.00
11	978-7-111-35616-5	营销革命	（美）艾·里斯、杰克·特劳特	42.00
12	978-7-111-35676-9	2小时品牌素养（第3版）	邓德隆	40.00
13	978-7-111-40455-2	视觉锤	（美）劳拉·里斯	49.00
14	978-7-111-43424-5	品牌22律	（美）艾·里斯、劳拉·里斯	35.00
15	978-7-111-43434-4	董事会里的战争	（美）艾·里斯、劳拉·里斯	35.00
16	978-7-111-43474-0	22条商规	（美）艾·里斯、杰克·特劳特	35.00
17	978-7-111-44657-6	聚焦	（美）艾·里斯	45.00
18	978-7-111-44364-3	品牌的起源	（美）艾·里斯、劳拉·里斯	40.00
19	978-7-111-44189-2	互联网商规11条	（美）艾·里斯、劳拉·里斯	35.00
20	978-7-111-43706-2	广告的没落 公关的崛起	（美）艾·里斯、劳拉·里斯	35.00
21	978-7-111-45071-9	品类战略	张云、王刚	40.00
	978-7-111-51223-3	定位：争夺用户心智的战争（20周年精装纪念版）	（美）艾·里斯、杰克·特劳特	45.00
	978-7-111-53422-8	与众不同：极度竞争时代的生存之道（精装版）	（美）杰克·特劳特、史蒂夫·里夫金	49.00

华章书院
HUAZHANG BOOK ACADEMY
科技·商业·人文